쓸 수 없는 문장들

Kunst, fuer das Leben

삶은 고결한, 단 하나의 무언가를 찾아 나서는 기도.
내 안에 있는, 가장 깊고 투명한 그것을 찾고 있습니다.

2021.04.11

말할 수 있는 것은 말해요. 실컷 말해요. 그러고 나면 말할 수 없는 것이 남아요. 아무도 들어주지 않는 것, 아무도 모르는 것, 아무도 궁금해하지 않는 것, 더 이상 입 밖에 꺼낼 수 없는 것. 그것을 써요. 말은 배설이 되지만, 그것은 글이 돼요. 그것이 많을수록 문장이 돼요.
그러나 그것이 글이라 할 수는 없어요.

아무것도 쓰지 말고 바라봐요. 오래 바라봐요.
볼 수 없는 것과 말할 수 없는 것, 쓸 수 없는 것을.

그건 눈빛이에요. 가득 찬 섬광,
그 안에 머물러요. 당신은 이제 그것이에요.

삶이라는 티끌. 그 티끌밖에는 명명할 수 없는 거대한 침묵들. 말할 수 없는 것은 왜 이렇게 광활한가. 나는 그것을 자주 봐요. 내가 도무지 할 수 없는 말을 봐요. 그것은 이 속에만 있어요. 우주만큼 가득하지요.

이런 계절이 오면요.

나는 꽃을 해석하는 사람이 되어요.

『사라지는, 살아지는』 중에서

쓸 수 없는 문장들

01

—마지막 꽃들의 유언을 경건하게 받아 적고 있다.

『모든 계절이 유서였다』 중에서

꽃잎이 툭 떨어진다. 마치 말이 하고 싶었던 것처럼, 고백을 참는 여인의 꽉 다문 입술처럼, 그 자체가 각별한 우리의 대화인 것처럼. 그러나 끝내 한 음절의 말이 되지 못하듯, 아무도 지나가지 않는 숲의, 아무도 듣지 못한 소리, 존재의 너무 커다란 소리. 나는 그것을 들으며 한 문장을 적어보려 했다. 아무것도 적지 못했다.

노트에 꽃잎을 올리니
시가 되었다.
꽃,이라고 발성을 해보니
오늘은 제일 아름다운 문장을 쓴 것 같다.
꽃은 제 몸이 신이고
제 몸이 성지이다.
한결같이
오롯이 자신만을 다하고 순교하는 꽃 앞에서
나는 무릎을 꿇을 수도 있다.
나는 꽃이 종교라
꽃의 몸짓만을 믿는 사람이라
그들의 시를 받아 적고 나서야 구원받는 기분이 든다.

『모든 계절이 유서였다』 중에서

이것을 어쩌면 좋을까 떨리는 두 손에 올려 바라보고만 있는. 그러다 불현듯 알 것 같은 환함으로, 그 자체만으로 이미 가득 찬 어떤 완연함으로. 노트에 꽃잎을 올리니 시가 되었다.

직업

시는 원초적인 마음의 모태이자 기원에 가깝다. 이제 막 세상에 나온 인간이 눈을 뜨고 처음 맞닥뜨린 시선의 황홀경, 어찌할 수 없는, 너무 거대한 풍경. 그러나 말을 배우지 못한 영아의 상태, 신비롭고 흘가분함으로 가득 찬 어떤 심경, 뒤섞인 광채, 그리고 침묵.

시는 그 사이사이에서 줍는 언어이다. 언어를 갖지 못한 채 여무는 절정, 그 순수한 원형의 상태야말로 신의 언어를 닮았다.

성스러운 일체의 순간, 그것을 경건하게 받아 적는 사람이 있다. 어떤 작가는 한 줄의 언어를 옮겨 적기 위해 생의 모든 시간을 육신 속에 머물며 정화에 몰두한다. 맑고 고요한 정신을 유지하는 것에 일생을 바친다. 무결한 한 문장을 위해 사는 사람처럼. 그리고 생의 단 한 문장만을 기리는 영광을 꿈꾼다. 그러나 시인도 작가도 아닌 나는 한 문장을 갖기 위해 거의 모든 시간을 정제하고 절제한다. 귀한 손님의 방문을 준비하는 사람처럼, 맞이할 준비만 하다 잠드는 사람처럼, 기다림이 마치 직업인 것처럼.

나는 이 상투적이고 관념적인 언어를 탈피하고 싶지만, 방법을 알지 못한다. 나는 명명할 수 없는 것을 실재적인 것으로 대체하기 위해서 겪지 못한 것들을 겪어보려 노력한다. 그러나 인간에게 그런 일은 불가능에 가깝게 느껴진다. 보고 경험한 것들은 이런 인간의 사고로만 구성되어 있기 때문이다. 내가 지닌 최대치의 감각과 감수성으로 이 세계의 아름다움을 구체적으로 표현할 수 있을까, 원하는 것에 과연 도달할 수 있을까. 모르겠다.

애석하게도 여기, 붙일 인간의 언어가 없다는 것. 그저 손 위에 가지런히 떨어진 꽃잎을 오래 바라볼 수밖에 없는 것. 침묵과 말 사이에 오래 맴돌고 있는 향기 같은 것. 나는 아직 한 줄의 글도 쓰지 못했고 앞으로도 영원히 쓰지 못할 것이다. 영원히 본질을 배회하는 인간의 아성만으로 테이블에 앉아 문장의 벽을 쌓을 뿐이다.

줍기에도 너무 많은 봄의 낱말이
길가에 흐드러진다.
아쉬움이 바닥에서 나뒹구는 그런 날,
그것을 밟으며 걷는 일,
나의 계절로 옮기는 일,
떨어진 꽃들의 이름을 한 장 한 장 불러주는 일,
죽어가는 꽃잎에 최고의 시였다고 말해주는 일,
그것밖에는 할 수 없는 일,
환한 그것들이 눈가에 엉켜 붙어 조잘거리다가
우수수 떨어지기 시작하는 늦봄이었다.

『사라지는, 살아지는』 중에서

차마 건들지 못하는 것들이 있다.
그 자체로도 너무나 섬세하고 완전하여 손대면 바스러질 것 같은 풍경들 말이다.

그리하여 한 문장을 작문하다 말고 하나의 꽃을 그대로 바라보게 되는 것이다. 꽃을 감상하다가 나도 모르게 그것을 읊조리게 되는 것이다.

떨어진 꽃들의 이름을 한 장 한 장 불러주는 일,
죽어가는 꽃잎에 최고의 시였다고 말해주는 일,
그것밖에는 할 수 없는 일,

줍기에도 너무 많은 봄의 낱말이 길가에 흐드러진다.
이미 그 자체로 가득 찬 문장들 말이다.

고유한 문장

창가에는 물질을 담아낸 적 없는 빈 화분이 있다. 달빛이 토분의 결에 내려앉는다. 빛의 섬세한 손길, 주변을 감싸 돌고 있는 텅 빈 적요만으로 그것의 내부에는 긴장감이 돈다. 신비하고 고결한 나머지 어둠조차 그것을 구속할 수 없는 듯하다. 그 안에 무엇이 가득 존재하는 것처럼, 내부에 모든 걸 잉태하고 품은 것처럼, 혹은 무언가를 비우고자 하는 결연한 의지처럼, 온기를 경험하지 못한 사람처럼, 차갑고 서늘한 토기, 그 자체가 고결한 정신인 것처럼.

이런 상상만으로도 무한한 가능성의 공간이 생겨난다. 아무것도 없는 침묵이 되어서야 그것은 완전한 존재감으로 압도하는 것이다.

내게 글은 사물을 상세하게 묘사하는 게 아니라 사물이 저절로 목소리를 갖게 보조하는 것에 가깝다. 포장하는 것이 아니라 다 지워서 영혼의 몸통을 드러내는 것. 그러니까

무언가를 정의하는 것이 아니라 다시금 백지의 상태로 돌려놓는 일이다. 덜어내고 비워내며 순수하게 정화하는 행위는 투명한 본질에 접근하는 방식이 되어주곤 한다.
비유하자면, 나에게 좋은 글은 원래의 성질에 양념해서 하나의 요리로 가공하거나 맛깔나게 다양한 감미를 더하는 것이 아니라 원래 그러했던, 신선한 재료와 본연의 향취에 가깝다.

숱한 활자 속에서 고유의 향기가 사라진 하나의 잘 만들어진 맛있는 음식을 먹는 기분이 들 때면 나는 왠지 모를 허기가 돌았다.
그것이 누군가에게는 감격스러운 문장이며 감각의 즐거움을 준다면 상관없지만, 나는 늘 공허한 마음이 들곤 한다.
나는 문장을 통해 마음 깊이 내재한, 고유한 무엇을 감각하고자 한다.

벤치에 앉아 수첩을 열어 놓으면, 햇살이 산란하며
백지 위에 한가득 무언가를 쏟아 놓는다.
분명 내가 쓴 것이 아니다.
낙엽은 내 손바닥 위에 자신의 손금을 모두 옮겨놓고
긴긴 잠이 들었다.
바람도 꼭 꼬리를 남기고 떠나간다.
새들이 눈짓을 따라 날아가면
백지 위로도 무언가가 후드득 떨어졌다.
눈을 감았다 뜨면, 햇볕이 여전히 뺨 위로 흘러내리고,
또 눈을 감았다 뜨면
저 멀리 가버린 기억의 한 장면이
표정 없는 뒷모습으로 서 있고,
또 눈을 감았다 뜨면
아직 오지 않은 계절들이 수첩의 다음 장을 넘겨
자꾸만 자신들의 예고편을 들려주는 것이다.

『모든 계절이 유서였다』 중에서

살아 있는 모든 것들의 안간힘을 본다. 악력을 다하는 생의 의지를 본다. 이제 막 움트고 있는 생명, 서서히 활착하며 약동을 준비하는 씨앗, 그러나 울음도 노래도 아닌 무엇.
그것은 들리지 않는 가장 큰 소리이다.

그것을 나는 침묵이라고도 불러보고 삶이라고도 불러본다.
시라고도 불러보고 신이라고도 불러본다.

하나의 일관된 풍경과 사물은 그 자체로 인간과 신을 연결하는 목소리처럼 느껴진다. 소리가 아닌 하나의 육중한 울림으로써 말이다.

미리 말하자면 나는 종교가 없으며 책에서 자주 번복되는 신은 특정 신이 아닌 설명할 수 없는 모든 것을 지칭한다. 사물이 영혼을 갖는다는 것은 오류일 것이다. 사물은 영혼을 지닌 인간을 통해 본질을 탐구할 수 있는 매개체가 되어줄 수는 있다. 사물이나 풍경은 나의 반영일 뿐이며 세계를 확장하는 하나의 방법이 되어주곤 한다.

실패한 문장

황혼빛 석양, 빛 내림, 사력을 다하는 청량한 잎새들, 출처 모르는 바람 한 줄기, 눈가에 파고드는, 이 삶이라는 끈적한 촉감. 그 곁에서 심장이 동요하는 사실을 발견할 때, 나는 이상하게도 살아 있음을 느낀다.

나는 무한하고 투명하며 깊은 영혼의 욕정을 인간이 아닌 자연 속에서 강하게 느낀다. 알 수 없는 압도적 정기에 심장이 부풀어 오르며 내면에서부터 응집된 어떤 에너지가 확장되는 것을 느낀다. 이내 합일의 강한 흥분감에 파르르 떨게 된다. 그것은 입으로 표출되지 않으며 침묵의 더 깊은 지층으로부터 단단하게 솟아오른다. 발설하고자 하는 강한 몸부림. 그렇게 내려받은 심상을 나는 어쩔 줄 몰라 망설인다. 곧이어 이 느낌을 각인하고자 성급히 노트를 펼친다. 그러나 황홀감은 오로지 침묵 속에서만 유효하다.

표현에 대한 욕구는 어디서 나오는가. 여기 없는 것들의 지속적인 갈증은? 불가능에 대한 일말의 가능성일까, 자기애

적이며 원초적 욕구일까? 미지의 육체로부터의 갈망일까? 인간의 어떤 내적 결핍일까?

나는 글을 씀으로써 그 무언가를 쟁취하려 재차 시도했다. 자아는 그것이 의지대로 작동되기를 바라며 사물 고유의 상태를 가만히 놔두질 않는다. 공교롭게도 감각을 활자, 물성으로 대체하고자 하는 일말의 시도는 실패로 끝나고 말았다. 여전히 한 단어도 적지 못한 채, 감각의 영역에서 언어를 추상하며 애무를 할 뿐이다. 결코 도달할 수 없는 ‘꽃이라는 관념과 언어는 꽃을 닮지 않았다.’는 사실만 여기 이곳, 앙상한 나신으로 맞닥뜨릴 뿐이다.

예술의 모든 행태는 본질에 도달할 수 없음을 증명한다. 우리는 이 불가역적 행위 속에서 삶의 유일무이한 가치를 찾으려 발버둥을 친다. 그러한 자아의 발현은 태초의 실존감을 다시금 인간과 분리시키고, 도달할 수 없는 거리감을 만든다.

어쩌면 자아의 해체와 인간성 상실이야말로 종과 계의 분류 그리고 모든 이분법적 잣대에서 자유로울 수 있으며 하나의 전체로 합일될 수 있을 것이다. 의미와 지향이 아닌 의미를 가지기 이전의 현 '상태'로서의 참 존재 말이다.

내게는 그 상태만이 환한 의미로 다가온다. 건드리면 훼손될 것 같은 마음들 말이다.

입을 통해 버려진 말들은 마치 죄와 같다. 손끝으로 토해낸 글들도 삶의 운명 같다. 그리하여 실패와 좌절, 자책과 고통은 나의 몫이 되었다. 그리고 다시 고뇌하는 인간으로 귀속해 앓는다. 나는 무엇을 쓸 수 있는 건가. 이 문장은 다 무슨 소용이란 말인가.

매번 아무것도 쓰지 않을 것이라 다짐한다. 아무것도 쓰지 않을 것이다. 그러나 매번 다짐 역시 실패로 돌아가고야 만다.

(배출하고자 하는 욕구와 말을 금하는 양심이 늘 대치한다. 그리고 언제나 그 결과는 자아의 승리이다. 그리하여 이곳은 언어의 배설로 꽉 찰 것이며 나는 자아의 완전한 점령과 승리와 동시에 깊은 패배감을 느끼게 될 것이다. 지면은 두 개의 내가 늘 대치하는 전쟁터이기 때문이다.)

사고는 힘을 잃고 서서히 메말라 간다. 허무의 문장을 토로한 끝에 기력이 쇠진한 나는 이제 왜곡된 사념과 본유적인 욕망을 잠재우기에 이른다. 나는 분주했던 두 손을 멈추도록 명령한다. 모든 걸 원래대로 되돌려 놓는다. 정신이 깊은 잠에 들 때야말로 비로소 모든 것은 그대로 제 자리를 찾아간다.

세상의 모든 물결이 한곳으로 몰려든다. 마치 새들이 모의하는 4시의 광장처럼. 산란하는 빛들이 빛들을 낳고 이제 막 생명을 얻은 것들이 다시 반짝이고 있었다. 마치 이 순간 시간이 멈춘 것 같고 시간이 없는 것도 같았어.

.

.

.

그때 손끝에도 파도가 일었어. 심장의 태엽 소리.
시간은 여기 있고, 당신도 여기 있었지.
그 순간 어떻게 내 영혼을 울리는 걸까. 좁혀오는 물결처럼.
맑은 종소리처럼.

왠지 이상한 기분이 들었어. 눈물이 날 것 같았어.

『잠들지 않는 세계』 중에서

저편으로 바람이 불고 물결이 일었다. 물의 표면에 눈부신 것들이 산란하며 부서졌다. 그 장면을 바라보는 나의 눈시울이 수면 아래로 가라앉는 저녁노을의 색감처럼 잠시 붉었다. 물도 바람도 눈빛도 태양도 합의한 적 없이, 개별적으로 발생하는 현상들이 하나의 장면으로 뒤엉켜 있었다.

태양빛은 사물의 구석구석을 비추며 떠나가고, 남은 빛들은 이곳 검은 눈동자에 착란하여 자글거린다. 어느새 동공에 넘실거리는 장면은 소실점이 되어 점차 멀어져 간다.

그럴 때, 나는 잠시 영롱해진다. 눈부신 것인지 울고 싶어지는 것인지 구분할 수 없을 때, 구분할 수 없으며 표출할 수 없는 그 무엇이 내 안에 밀려 차오를 때, 표현할 수 있는 말이 없어 가슴을 쓸어내린다.

사라지는, 살아지는

나는 어떤 느낌을 대면하고 있다. 여기 내 앞에 펼쳐진 삶이 나에게 들려주는 목소리와 육체에 각인되기도 전에 떠나가는 잔상 같은 것. 사라짐으로써 살아지는 것. 다시금 최초가 되어버린 것. 아무것도 없음만이 명징하게 남아 있는 것.
그리고 발설함으로써 성질을 완전히 잃은 그것.
모든 순간순간 마주했던, 잠시 내게 삶이었던 것.

그것을 어떻게 표현해야 할지 모르겠으나 단순하게 말하자면 마치 애증의 관계 같다. 고백하는 순간 이미 저 멀리 사라지고 마는 마음 같은, 시작하는 동시에 끝을 예감할 수밖에 없는, 그리하여 결국 사라졌으나 이제 오래 가슴에 품은 떨림 같은 것 말이다.

믿음들, 믿었기 때문에 불신했던 것들, 떠났기 때문에 남겨진 것들, 남겨진 채로 떠나는 것들. 이 서성임은 존재의 흐름 위에서 무성의 몸짓으로 흘러간다.
내가 나라고 오인했던 모든 시간이 나를 변두리로 밀쳐내며 외롭게 한다. 나는 얼마나 나에게서 멀어져 가고 있는 건가.

한때, 나였던 믿음은 어디로 가는 걸까, 성상 앞에서 밤새 기도를 올리던 신자 같던, 그토록 간절했던 마음은?

껴안지 못하는 풍경을 향해 뻗었던 두 손과 가지런히 무릎을 꿇은 다리를 일으켜 세우고 이제는 등을 돌려 나를 겨냥하고 있는 삶과 죽음, 한 번도 안아본 적 없는 이 내부의 촉감, 한 번도 느낀 적 없는 세계의 온도 앞에서 나는 이제 어떤 자세로 나아가야 하나.

떨어지는 꽃들을 슬퍼할 것,
실컷 슬퍼하고 실컷 그리워할 것,
그러고 나서 다음 계절로 굳건히 나아갈 것.

세상과 세상의 모든 문을 노크하고
삶과 삶이 머무는 모든 통로를 지나갈 것.

조금은 더 격정적으로, 격정적으로
더 많이 웃고 울며 감동하고 살아갈 것.

『사라지는, 살아지는』 중에서

나는 기록과 함께 순차적으로 소멸한다. 이렇게 적는 순간 마저도 과거가 되었다. 되돌아 걸을 수 없는 안개로 지어진 다리처럼, 마치 아득한 꿈처럼, 저편의 섬을 바라보듯, 글을 쓰는 것이다. 생명을 다하며 사라지는 모든 것들을 쉬지 않고 주시하면서 말이다.

기록된 문장은 엎질러진 현재이고 돌이킬 수 없는 과거이다. 삶을 다시 앞 장으로 되돌리는 건 불가능한 일이다. 우리는 순간을 기록하고, 또 그것을 영원히 버려야 함을 망각해선 안 된다.

기다리지 않아도 오고
떠나지 말라고 해도 떠나는
이 의지와 무관한 채 살아지는
숱한 계절들을 통과하며 잘 사라지는 일.
그대와 나와 바람과 눈물과 꽃과 노래와
열병과 오한을 깍지 낀 채
마치 기도문을 외듯
이토록 간절히 속삭이며 잘 살아지는 일.

『사라지는, 살아지는』 중에서

삶은 스크린에 재생 중인 영화 한 편을 보는 것 같다.
나는 객석에 앉아 홀로 그것을 감상한다. 내가 주인공으로 등장하는 한 편의 상영극을 멀리서 바라본다. 나는 엔딩 크레딧이 올라갈 때까지 단지 관조해야 한다. 그리고 영화가 끝나면 아쉬운 자리에서 일어나 관객이 되어 극장 밖으로 나가야 한다. 그것이 삶을 살아가는 방식이다.

남겨진 것들, 한때는 나였던 것들,
이제는 내 것이 아닌 것들.
나는 나조차도 떠나보내야 함에 순응해야 하는 것이다.

삶의 모든 경험과 생각과 눈물과 감정을 통과하고 나서야
하나로 함축되는 고요한 입술을 본다.

침묵, 그것이 시이다.

침묵의 화법

02

발설과 침묵이 어떻게 같겠어요. 하나는 창을 열면 말라서 사라지는 마음이고, 침묵은 창 안에 서린 입김같이 멀겋고 막막한 것인데, 서리 같기도 하고 안개 같기도 한 그것은 눈물도 땀도 아닌 이름도 없는 것인데. 안으로 흥건한 몸을 보아요, 사방으로 목소리가 울려 퍼지는 성스러운 밀실을, 오래 갇힌 오한 속에서 저기 저 여자는 얼마나 이상한 자세인지, 저게 시예요, 저게.

『잠들지 않는 세계』 중에서

말하고 남은 것을 침묵이라 한다. 침묵은 말하지 않음의 상태이며 말하지 않음으로써 가득 채워진 현존성이다.

침묵은 물리적 밤보다 더 깊다. 침묵은 그 자체만으로 거대한 물성 같다. 마치 옆에 세워두고 이름을 불러보고 싶은 어떤 강한 존재감이다.

그것은 여전히 내 안에 있으며 어쩌면 그것을 나라고 불러도 무관할 것이다. 나는 발설하지 못한 모든 것을 지닌 침묵 그 자체의 순수한 물성이 되었기에.
나는 이제 침묵만이 기거하는 몸이며 방랑하는 말들의 고향이 되었기에. 알려지고 남은 모든 것들의 무덤이기에.

침묵은 떠돌고 남은 말들을 내가 묻어주는 방식. 또한 가장 빠르고, 강하고, 가깝게 심장에 도달하는 말의 방식이다.

꽃, 밤톨, 열매, 잎사귀 같은 것들이
톡, 톡 떨어진다.
한 번도 발설한 적 없는
그 단단한 침묵들이
비로소 바닥에 와서야
소식을 전하는 것이다.
최후가 되어서야
최초의 소리를 내는 것이다.

『모든 계절이 유서였다』 중에서

시는 낙엽이 떨어지는 그 짧은 찰나에 온다.
낙하의 순간 시는 존재의 힘을 발휘한다.

쿵

최후가 되어서야 최초의 소리를 내는 것이다.

문장이 울림이 될 때까지

나는 소리의 기원을 찾고 있다.

이제 막 발생한 언어는 오랜 기간 동굴 같은 몸 안에서 성질이 변할 때까지 침묵한다. 기다리고 끝끝내 기다리는 것. 익어 터질 듯한 내부의 침묵이 더 이상 참지 못할 때까지 툭. 유언을 남기듯 세상 밖으로 떨어질 때까지.

최초이자 최후가 된 한 마디는 폭발적으로 모든 것을 말한다. 마치 살려고 죽을 것처럼.

꽉 쥐었으나 끝내 손을 놓쳐버린 열매의 기분 같은, 한 번의 낙하로 모든 걸 말하는, 커다란 침묵이 숲에는 가득하다. 그래서 청력을 잃은 나그네는 나무 아래를 지나가다 비로소 귀가 트이게 된다. 그때 심장이 뛰는 것이다. 쿵

오래 잉태한 고백이 더는 참지 못하는 것처럼, 쿵. 하고 가득 여물어 터져버린 소리는 이제 울림이 되었다.

* 소리가 무엇에 부딪혀 되울려 나오는 현상 또는 그 소리. 진동수가 약간 다른 두 개의 음이 간섭을 일으켜 소리가 주기적으로 세어졌다 약해졌다 하는 현상.
소리가 소리를 깨우는 신호. 가장 원초적인 촉발.
최초의 심 박동 소리.

오늘의 숲은 떨어지는 것만으로 온통 시끄럽고, 나는 조금 더 침묵한다. 이 안에서 얼마나 더 참아야 할까, 더 붙들어 봐야 한다. 소리가 울림이 될 때까지. 울림이 버티다 떨어져 울음이 될 때까지.

문장을 어떻게 울리는가, 글을 쓴다는 건 무언가 써야 할 울림을 내부에서 찾는 행위에 가깝다. 내면에 떠도는 소리를 추적한다. 허공을 가르는 새들의 귀소본능처럼. 문장은 역류의 방향으로 나아간다.

---

* 네이버 사전에서 '울림'을 검색해보았다.

그런 방식으로 나는 몸 안으로 떠도는 소리의 고향을 찾고 있다. 입 밖으로 뱉어낸 언어의 무늬를 바라본다. 그것은 울림이 아니다. 다시금 그것을 삼키며 무언가를 유추한다. 그러니까 무성과 유성 사이, 발성이 촉발되는 첫 공간. 거기서 내가 어떻게 발음되는가. 그러기 위해 나는 얼마나 더 먼 내면을 고독하게 걸어 들어가야 하는가. 다시 천천히 내부로 향한다. 조금 더 깊은 미지로, 그런 방식으로 그냥 울림이 되어버리는 것.

울림이 울음이 되기 전까지 나는 내 안에 나를 묻어두는 것이다. 잘 익은 침묵이 성질을 달리할 때까지.
그리고 그것이 어떤 맛을 내는가 지켜보는 것이다.
침묵은 곧이어 심장 안으로 툭 떨어진다.

여기, 중심에서부터 서서히 증폭되는 것이 있다. 새벽 산정 호수의 물결처럼, 뱉어내지 못한 채 머금은 침묵은 울림이 되었다. 나는 중심으로부터 저 멀리 확장되며 심원한 풍경을 만들어 간다.

침묵의 화법

나는 이편과 저편을 넘나드는, 내면과 외면이라는 균열된 틈 사이, 양립하지 않는 텅 빈 공간에 있다. 여기서 정신의 정화과정을 거치며 침묵과 동시에 발설을 담당한다.

때로는 말 안의 말을 묶어두고, 눈 안의 눈을 바라보며 귀 안의 청력을 다한다. 그런 방식으로 나는 고요를 다시금 되찾아간다. 어느덧 바깥의 소리는 차단되고 나는 세상의 소음에서 멀어진다. 침묵은 관조와 사유 그리고 현존의 감각을 되찾고 내면의 확장을 돕는다.

우리는 말을 하면서 사유할 수 없다. 밖을 바라보면서 안을 주시할 수 없고, 숨을 들이쉬면서 내쉴 수 없다. 달리면서 멈출 수 없고, 뛰면서 사물을 분석할 수 없다. 먹으면서 뱉을 수 없고, 말하면서 들을 수 없다. 우리의 이면에는 동시에 사용할 수 없는 내면과 외면의 문이 있기 때문이다.

그리하여 나는 늘 내뱉으면서 다시 주워 삼키는 듯한 음성으로 역입(逆入)을 시도한다. 그리고 말이 혀 위에서 미끄러져 내리려 하는 지점에 나를 멈추어 놓는다. 거기서 다시금 고민한다. 내뱉는 순간 본질을 벗어날 것이며 삼키는 순간 의미를 잃을 것이다.

말은 청각을 닫는 문이며, 반대로 침묵은 다시금 세계가 나에게로 수렴되게 열어두는 방식이다.

댐의 수문을 여닫듯 범람하는 관념으로부터 스스로 수위를 조절한다. 침묵이 범람할 때 말을 개방하는 것이다. 다시금 비워진 침묵은 넘실거리는 불안을 재우고 안정을 되찾는다. 나는 그것을 충분히 곱씹고 난 후, 이제 침묵을 환기한다. 그리고 그것을 밖으로 방생해야 한다. 우리는 외부와도 긴밀하게 연결되어 있기 때문이다.

떠나간 새들이 다시 귀가한다. 떨어진 꽃들이 다시 꽃을 만들고 있다. 산등성이 너머 붉게 떠나간 석양빛. 태양은 다시금 우리의 가슴속 둥지로 돌아와 모두를 치유하고 재생한다. 나는 자주 멀리 배회하여 쉽게 지치곤 하는 나의 귀가를 위해 문을 반쯤 열어놓는다. 내면과 외면을 잇는 하나의 추처럼 침묵은 반동하며 나갔다가 회향한다.

그저 가만히 앉아 침묵하는 이 시간이 좋다.
이 순간만큼은 나라고 내세울 이유도, 상처 줄 마음도, 상처 받을 이유도 없어진다. 모두가 잠든 고요의 시간, 말라 갈라진 심장에도 틈새를 메우며 점차 차오르는 무언가가 느껴진다. 비로소 살아있는 기분이 들기 시작하는 것이다.

나는 들리지 않음으로 잘 들리는 어떤 것을 듣고 있다. 생명의 소리, 영혼의 소리이다. 이것이 무엇인지 정의 내릴 수는 없지만, 가장 깊이 그리고 멀리 나아가는 소리임은 분명하다. 이것이 막 지쳐가는 오늘의 당신을 살게 했으면 한다. 아마도 고요히 귀 기울인다면, 분명 무언가 잘 들리기 시작할 것이다.

『모든 계절이 유서였다』 중에서

자연의 설법

우리가 사물을 본다고 보이는 것이라 할 수 있을까. 말한다고 말하는 것이 아니듯. 눈과 입을 빌릴 때 분명 놓치는 것이 있을 것이다. 말을 놓았을 때, 우리는 어쩌면 더 많이 교감할 수 있겠다. 언어, 문법과 판단, 생각 따위가 서로 대립하지 않을 때, 비로소 인간은 단순하고 간결해지며 우리가 된다. 침묵과 사색뿐인 이 숲이 눈과 귀 그리고 입도 없이 지금 나를 교화하고 있듯 말이다.

사상 없이 서 있는 모든 것들로부터 이 순간에도 나의 마음은 얼마나 많은 관념이 발생하는지, 그 지점이 내가 인간일 수밖에 없는 경계 지점이면서 동시에 인간으로서 이 자연의 침묵의 설법을 옮겨 적는 일만이 가장 유순한 인간의 일 같다는 생각도 든다. 결코, 도달할 수 없는 불립문자의 풍경이기에, 나는 자연을 신처럼 찬양한다. 이제 이런 사념 따위는 버리고 그 속으로 걸어 들어간다.
자연과 한 몸이 되기 위해서.

환한 달빛을 외면하지 못해서 밤을 새웠다.
이팝 꽃잎 한 장씩 순산하는 기쁨을 나도 보았다.

『잠들지 않는 세계』 중에서

늪에 빠진 도마뱀, 얼어붙은 꽃의 혀, 날개 잃은 새 … 파도의 조각들, 강의 표면에 깃든 벚꽃 물결, 나무의 불안, 어미 잃은 노루, 허기진 승냥이의 눈빛들, 집 잃은 개미 난민, 지빠귀의 독백, 생동하는 것들, 동공에 하나의 빛으로 점등하는 것들, 윤활하는 풍경들, 살고 싶은 것들, 눈부신 것들, 눈물 나는 것들.

『잠들지 않는 세계』 중에서

잠 오지 않는 새벽에는 산책한다.
밤새 여러 번 나갔다가 들어온다.
그러고 보니 산책은 살아 있는 책이라 산책인가.
밤공기 속에 누가 이토록 숨 쉬는 문장을 숨겼나.

『모든 계절이 유서였다』 중에서

아무도 궁금해하지 않는 것

어둠 속에서 제 눈빛만으로 숲을 밝히는 무리가 있다. 그들은 서로의 주위를 밝히는 생존의 빛이다. 밤의 조도에 맞춰진 짐승들의 눈동자, 어미를 찾는 둥지 속의 새들. 숨어 있는 모든 것들의 시력은 한낮보다 더 정교하게 빛난다.

나는 이 밤의 정원이 궁금하다. 한낮, 푸른 태양 빛을 축적한 잎새가 달빛 아래서 어떠한 오묘한 색을 띠는지, 낮잠을 자던 수풀이 깨어나 인간은 모르는 춤을 추는지, 은빛 강물은 외로운 은어처럼 꼬리를 흔들며 흐르는지, 꿈 없는 꽃들의 새벽은 아무에게도 들키지 않는 축복인지.

골목골목 숨어 있던 길고양이들이 여전히 달빛 아래 모여 인간은 흥미를 갖지 않는 일들을 모의하는지, 새들은 높은 나무 둥지 위에서 어떤 모습으로 잠이 드는지, 살아 있는 모든 어미의 품은 다 똑같이 따뜻한지.

나는 아무도 궁금해하지 않는 것만이 궁금하다.

혼자이고 싶은 시간이 찾아 들면, 나만의 장소에 찾아 간다. 밤의 고유한 향기를 좇아 걸었다. 그곳에는 자홍색 풀꽃이 서서히 달빛에 익어가고 있었다.

꽃아,
너, 내 얼굴 가만히 보고 있네,
예쁘네, 나보다 더 좋은 곳에 산다.

『사라지는, 살아지는』 중에서

밤의 꽃길을 거닌다. 모든 속박과 규율로부터 조용히 반항하는 향기처럼, 아무런 목적도 이유도 없이, 그래도 되는 밤의 자유를 획득했으므로.

보이지 않는 숲속, 가느다란 월광 아래, 몸을 붉히는 꽃들이 만발한다. 마치 인간과 신을 연결하는 목소리처럼. 그것을 가만히 읽어 내려갈 때, 나는 글을 쓰는 사람이 아니라 발견하는 사람, 받아 적는 사람이 아닐까 하는 생각이 든다.

밤의 침묵을 거닐다

뒷짐을 진 채 찬찬히 걷는 길가, 혹은 깊은 밤의 침묵 속을 거닐 때, 어떤 강렬함을 느낄 때가 있다.

뒷덜미를 쓸어내리는 무언의 손길이 느껴져 뒤돌아보면 거기엔 툭툭 향기를 뱉어내다가 제 향에 취한 듯 달아오른 붉은 꽃들의 얼굴이 있는 것이다. 그들과 눈이 마주칠 때, 나는 비로소 탁한 눈빛이 서서히 깨어나 광채를 띤다.

어느덧 빰이며 코끝에도 향기가 묻어난다. 그것은 아무에게도 들키지 않으며 오로지 나만을 부르는 언어 같다. 향기는 이제 가장 명확한 고백이 되었고, 그들은 그런 방식으로써 모든 감각을 도출하여 나를 이상하고도 아름다운 세계로 유혹한다. 오묘한 마음은 심장을 윤활하여 백지 위로 고스란히 쏟아져 나온다.

선선한 달빛이 활보하는 밤이 공터, 아무도 비춘 적 없는 전조등, 차가운 바위 사이를 종단하는 풀벌레, 서로의 뿌리를 엮어 바람을 견뎌내는 나무들. 위태로운 꽃대 위로 무사히

순산한 꽃잎들. 처연하고 아름다운, 그것은 우리에게 잘 보이지 않는 세계의 이면이자 동시에 우리가 공존하고 있는 삶이다. 생의 한 장면 속에 불나방처럼 뛰어드는 것은 말이 없다. 침묵은 우직한 긍지를 보여준다.

밤의 초대 속에 드리운 달의 얼굴을 본다. 구슬픔으로 일관되게 침묵하는 것은 환함보다 더 환하게 저를 드러내고 있다. 그 순간은 들키지 않는 여분의 세계이다. 나는 차분하게 고조된 이 시간을 허비하고 싶지 않다. 보이지 않으나 분명 거기 애인처럼 다가온 밀어의 시간을 사랑하고 싶다. 그렇게 나는 자주 밤을 새우고, 또 말없이 대화를 나누는지도 모르겠다.

무엇을 살아야 하는지 자주 침묵을 앉혀 놓고 많은 걸 묻는다. 침묵은 침묵한다. 그럴 때면 나는 내가 살아야 할 많은 것들이 선명하게 보인다. 그것을 기술할 단어가 인간에게는 없다. 언어는 이 앞에서 무력해진다.

- ⚜ -

세상을 지배하는 우매한 인간의 허영이 이불을 박차고 깨어나기 전까지, 마지막 남은 영혼이 등 뒤 그림자 속에 완전히 숨어들기 전까지, 막 깨어난 사람들이 눈먼 허상을 다시금 시작하기 전까지. 나는 침묵과의 밀애를 허용한다.

그러나 영원할 것 같던 시간은 다시금 새벽의 옷자락을 끌며 떠나간다. 태양이 떠오른다. 저편은 다시금 울기 시작한다. 누군가 목적을 향해 분주히 뛰어간다. 모두가 움직이고 망각하는 곳으로.

그 이면에, 아무도 발견하지 못하는 사각지대에,
여전히 부동의 침묵은 우리를 기다린다.

침묵은, 고단한 이들이 깊은 단잠에 빠진 새벽 4시의 숨죽임 속에 있다. 내일의 낙하를 모르는 나뭇잎의 뒷면에도, 물결의 오선지 위에 내려앉은 달빛의 리듬에도, 달의 그림자 속에도, 사이프러스 나무의 꼭대기, 새들이 떠난 둥지 속, 깃털 같은 어둠에도, 겨울과 봄 사이, 아기와 어미 사이, 외로운 지빠귀의, 어디에도 소속되지 못한 울음 속에도, 미래로 향하는 모든 생명, 그 우주의 호흡 속에도, 무언가 골몰하느라 자전하는 한 인간의 검은 동공 속에서도. 말 없는 말들이 거리를 활보하고 있다. 나는 이 시간, 말과 침묵 사이를 오가는 최후의 인간으로 남아있다.

입 없는 것들을 대신해 적는다.
들리지 않는 것, 모든 앓는 것들을 대신해 적는다.

밤의 몽상

03

나의 방, 나의 밤

태양의 영향권 아래 세상의 모든 것은 사물의 윤곽과 색채를 확고히 하고 우리의 몽상이 새어 나올 그 틈을 주지 않는다. 그러나 밤의 시각이란 어떠한가. 이 어둠 속의 혼들은 얼마나 자유로운가. 그리고 무한한 상상은 그 얼마나 들키지 않는 안전한 취미인가.

아무도 모르는 깊은 밤이 찾아오면 자신을 피력했던 한낮의 사물들은 윤곽이 흐려지고, 본연의 색들은 일체 속에 녹아든다. 나를 둘러싼 단단한 벽면이 더 이상 앞을 가로막지 않는다.

왼팔은 머리를 괴고 오른팔로 기록한다. 서서히 어두워지는 실내. 나는 몇 개의 문장과 함께 어둠의 깊은 색채 속으로 파고든다. 도무지 방과 내가 구분되지 않을 때 펜을 내려놓는다. 어둠보다 짙은 눈동자는 테이블의 희미한 테를 간신히 훑는다. 활자는 가슴속에 연이어 쓰인다.

그러나 의식의 몸은 표피가 없다. 그것은 쓰이는 동시에 사라져버리는 속성을 지녔다. 단지 그것은 진실을 유추해보는 신호만으로 현현할 뿐이다. 그리하여 가슴속 문장은 오늘도 물성이 되지 못하였다. 잡을 수 없는 것만이 자유를 획득한 채 긴긴밤의 포옹 속에 활보한다.

잔잔한 어둠 속에서의 상상은 나를 새로운 미지의 세계로 향하게 한다. 나는 밤의 몽상 속에서 넓고 먼 곳까지 존재를 영위한다. 마치 캠퍼스를 뚫고 나아가는 격정적인 화가의 붓 터치처럼. 느낌의 색채와 분위기로 가득 찬 의식은 자유롭다. 아무것도 보이지 않음으로써 잘 보이는, 아무것도 없음으로써 모든 것이 다 있는, 그것은 분명 실재의 공간이며 삶이라는 자화상이다. 영원히 지속될 하나의 추상화이다.

이 형이상학적인 세계의 주인인 나는 내부의 질서를 총괄

한다. 감각과 의식, 인식과 사유, 현실과 이상, 다양한 층위의 색을 선택적으로 교차시키며, 하나의 그림을 창조하는 것이다. 나는 백지 같은 이 공간에서 비로소 금기 같았던, 무한한 몽상을 펼칠 수 있다.

밤은 발설되지 않은 세상의 모든 침묵만으로 거대하고 육중하다. 해결되지 않은 사유와 혼자만의 비밀들. 하루치 울음을 미룬 채 잠든, 인간의 남은 것들만으로 이 밤은 너무나 깊다. 밤은 방의 사각 모서리까지 단단히 스며들었다. 나는 자정부터 아침으로 이어지는 긴 어둠을 정좌한다. 무엇을 해야 한다는 생각은 거의 하지 않는다. 이 시각을 잠으로 보내는 것이 다만 너무 아까울 뿐이다.

나는 나인가, 어둠인가, 바람인가.
마치 혼자 생각하다 보면 이 침묵이 대답할 것도 같은, 어쩌면 그 답변을 받아 적는 것과 같은, 미신 같고 주술과도 같은, 어떤 생각이 여기 없는 생각들을 깨울 것 같은, 먼 과거 속에

앉아 있는 나를 뒤돌아보게 할 것 같은, 깊고 서먹한 새벽. 말 없는 것들이 나를 조종하는, 밤. 오래 들여다보면 밤은 저 멀리서부터 밤하늘이 물결을 이루며 몰려든다. 시간이 다른 시차와 섞이는 조수를 느낀다. 나는 서서히 어딘가로 동한다. 흘러가며… 어느새 이쪽은 환하고 저편은 까마득하다.

촛불처럼 낮고 은근한 조명 아래 심호흡을 하는 것은 나만의 기도이다. 심장의 맥박이 거의 들리지 않을 때까지, 호흡의 속도를 잃지 않으며 날숨과 들숨으로서 무중력을 실감할 때까지.

그렇게 의식이 소멸한 공간은 하나의 우주 같다. 현혹하는 감각이 더는 힘을 발휘하지 못할 때, 감정과 자아가 사라질 때, 세계와 내가 비로소 하나가 되며 태초의 고요가 찾아든다. 이곳엔 오로지 현존의 느낌만 남아 있다. 나는 이제 호흡만으로 존재한다. 존재를 거의 느끼지 않는 것.
그것이 나의 존재감이다.

침묵은 존재를 가지면서도 속이 텅 빈 무형의 몸짓이며, 아무도 부르지 않는 자유로운 영혼의 몸이며, 너와 나, 밤과 아침, 희망과 절망, 그 경계의 사이사이, 활보하는 압도적인 실재감이다. 그렇지 않다면 이 심정은 어디서 나오는가, 투명하고 신성한 무정형의 마음은 어떤 약속 속에서 서로를 알아보는 것인가, 이 보이지 않는 몸부림은 어디에 소속되어야 하나, 밤의 유랑 속에 잠들지 못한 몽상일까. 나는 어디에도 닿지 못한 채 무중력의 상태로 부유한다.

침묵은 내가 지닌 공간 중 가장 큰 방이다.

방은 내게 외부로부터의 피난처이자 자아의 해방, 그리고 정신의 성지이자 동시에 그 자체로서 존재의 아늑한 보금자리가 되어준다. 나는 방에 있다는 생각조차 잊는다. 나는 이제 방이 되었다.

더 이상 아무 소리도 들리지 않는다. 애초에 소리가 없었던 것처럼. 모든 소리는 밤의 커다란 적막 속으로 빨려 들어간다.

잠을 유보한다. 심장 소리는 오로지 나를 위해 뛴다.

호흡, 맥박 소리, 달빛 아래의 노래는 아무도 들어줄 리 없지만, 아침 창문으로 말갛게 들어오는 여명처럼 무언가 너무나도 정신적으로 서 있다.
그것은 나의 침묵이며 고독이며 현존이다.

당신과 나 사이

나는 일말의 사랑을 이 밤의 시간 고백한다. 예컨대 내가 고백한다는 것. 이 작은 방의 밤에 갇혀 아무도 들어주지 않는 언어를 제약 없이 누설하는 것. 몽유하는 몸을 잃은 영혼의 산책자처럼.

이곳, 창문 너머 적요하게 내리는 빗 사이로 거뭇해진 아스팔트 도로를 지나 물 안개처럼 뻗어 나온 몽상은 맞은편 붉은 벽돌의 담을 탄다. 완벽하게 닫힌 누군가의 작은 창을 넘어서 이제 막 타인의 모습을 떠올려볼 때면 조금 더 내밀하고도 섬세한 내면의 회로를 열어 누군가의 마음에 사뿐히 걸어가는 느낌이 든다.

이 시간, 침상에 누우면 그런 것들이 떠오른다. 혼자만의 소유가 되어버린 근심들, 까마득한 시름과 함께 자주 자세를 바꾸며 뒤척이는 불면의 사람들, 그들이 덮은 이불의 둥근 테 같은 것이 떠오른다. 타인의 무의한 상념의 따위를 떠올린다. 떠올리다 보면 아직 풀지 못한 숙제처럼 계속 따라다니는 그들의 무거운 삶의 짐들도 떠오른다. 가만히 누워 저 벽 건너에 기대어 있는 누군가의 가까운 등 따위를 생각할 때, 낯선 타인이 입은 잠옷의 무늬 따위나 목이 늘어진 후줄근한 티셔츠 따위, 화장을 지우다가 표정까지 지워버린 누군가의 얼굴 따위를 떠올릴 때, 남은 말들을 어둠에 묻은 채 이불을 덮고 누워 이제 막 잠의 여행을 떠나는 사람들의 새끈한 호흡 따위를 느낄 때, 나는 비로소 인간적인 사람이 된다.

지금 당신은 머리맡에 놓여 있는 책을 여러 차례 뒤척이며 바라보고 내려놓기를 반복한다. 오지 않는 연락을 확인한 후 베개에 엎드려 누워 잠을 청한다. 그러나 잠이 오지 않는다. 오늘 있었던, 그러나 아무도 신경 쓰지 않은 몇 가지의 불편한 사건을 떠올린다. 약간의 공허한 마음에 다시 한 번 핸드폰을 열어 의미 없는 기사를 보거나 책 따위를 들척이다 잠의 결기를 단단하게 한다. 그것은 상상의 영역이면서도 너무나 사실적인 우리네의 삶이다. 우리가 안다고 하는 우리의 모습보다도 더 우리 같은, 인간의 단상들이다.

자세히 보아도 보이지 않는 것은 많다. 예를 들어 이면적으로 보이지 않기 때문에 땅속에 파묻힌 나무의 뿌리를 전혀 인지하지 못한다는 것. 구름 뒤로 숨은 태양 별을 알아채지 못한다는 것. 잎새 뒤로 올곧게 그것을 지탱하고 있는 나무의 줄거리를 거의 볼 수 없다는 것.

그런 방식으로 인간의 웃음 뒤, 슬픔에 굴곡진 얼굴 안쪽의 표정을 거의 알 수 없다는 것. 밝고 간략한 목소리 뒤로 얼마나 많은 사색의 밤을 인내하였는지, 서로가 어떤 자세로 잠 드는지, 그러니까 우리는 우리를 잘 상상할 수 없다는 것. 한 사람이 하나의 태도가 될 때까지 그 사람을 이루었을 복잡한 마음의 기둥이나 눈물의 무늬들. 그런 것은 알 수조차 없다는 것.

그러나 각자 고요한 마음속에 들 때, 약간의 상상만으로 우리는 많은 것을 말없이 대화할 수 있다.

우리는 자주 외로웠으며, 어떤 골목에 서서 회상과 상념 따위에 빠지기도 했으며, 종종 혼자만 걸어 들어갈 수 있는 과거의 문 앞에서 몰래 울었을 것이다. 그리고 들키지 않는 생각으로 가득 찬 각자의 방에서 잠들 것이다.

문득 맑은 날엔 살아있는 듯하여 묵은 냄새가 나는 옷장을 열어 빨래하고, 긴 옷을 준비할 것이다. 오늘 입을 옷을 찾으며 누군가를 떠올릴 것이다. 선선한 바람을 맞으며 주머니에 두 손을 찔러 넣고, 문득 걸음을 멈춰 멍하니 하늘을 올려보며 다시금 삶의 이유와 긍지를 발견할 것이다. 이런 상상은 너무나 우리 같이 느껴진다.

이제 시각과 관념 너머에 있는 연민과 상상이 우리를 연결해 준다고 믿고 있다. 그것이 우리를 단단히 결속하고 있다고 믿고 싶다.

나는 당신과의 대화가 아니라 당신의 외투 속에 품고 있는, 내가 당도한 적 없는 거대한 생애와 당신의 모국어를 알고 싶다.

문장은 소리가 없으며 침묵과 조용한 고백 사이를 거니는 징검다리다. 우리는 이제 다리를 건너 서로에게 다가간다. 동시에 멀어진 나로부터 다시 가까워진다.

이 지껄임은 당신을 향한 마음이자 동시에 다시금 온전한 나 자신으로 되돌아오는 방법이 되어주곤 한다.
그래서 나는 아무도 들어주지 않는 마음을 향해 이리도 긴 글을 쓰는지도 모른다.

나는 여기 있어

여기서 너를 영원히 기다리지

저기 저 소나무를 봐봐

바람의 흔적이 보이니

깊은 숲속 고독에 기대어 서서

새들의 노래를 들어봐

눈을 가만히 감고 내면의 고요 속에 머물러봐

들리니

나는 여기에 있어

여기서 너를 영원히 기다리고 있어

『잠들지 않는 세계』 중에서

나는 세상 모든 것들의 사이

04

꽃과 꽃 사이

달빛과 어둠 사이

어제와 오늘 그리고

당신과 나 사이

사랑과 이별 사이

그리고 계절과 계절 사이

새벽과 아침

호흡과 침묵

잠과 꿈

그 사이사이

『사라지는, 살아지는』 중에서

어쩌면 이 기록은 사이에 대한 글일 것이다.

당신과 나 사이,
낮과 밤,
과거와 미래 사이,
정의 내릴 수 없는 모든 것의 사이.

나는 인간이 정의한 관념이 아니라 아무도 쉬이 단정할 수 없는 그것에 대해 간절히 말하고 있다.

밀어내는 미래와 잡아끄는 과거의 틈새에 텅 빈,
절벽을 오르는 태양과 추락하는 바람의 사이에 매달린,
땅도 아니고 하늘도 아닌,
소속 없이 헤매는,
그러니까 무엇일까, 자꾸만 휘청이게 하는 것은,
사라지다 살아지다 기어코 만나야 하는 우리는,
울부짖게 하는 것, 일어서게 하는 것,
다시금 떠나가고 뒤돌아보게 하는 것은,
마을과 마을 사이, 사람과 사람 사이,
오고 가지도 못하는 고백 같은,
무엇일까, 이 어지러운 몸은,

『잠들지 않는 세계』 중에서

나와 나 사이

의식은 인간의 외곽을 배회한다. 나는 보이지 않는 것의 전부로써 존재감을 외친다. 나는 있다. 여기 분명 있다. (하지만 나를 어떻게 증명할 수 있는가.)

이따금 나는 내부에서조차 너무 많다. 그러니까 이렇게 내 안에는 자아의 목소리를 조종하는 나와 그것에 작동되는 나, 서술하는 내가 거리를 둔 채 동거한다. 이 내면에서도 세계는 얼마나 많은 평행으로 진행되어 오는가.

또한 여기 과거와 현재의 나, 그리고 아직 오지 않은 미래의 내가 있다. 이 삶은 얼마나 유한하면서 그 안에서 생성과 소멸을 반복하며 불멸을 꾀하는가. 나는 왜 매번 계속 태어나고 있는지? 질문은 또 다른 질문을 건넨다.

질문을 찾는 것이 질문을 잃어버리는 방식인 것처럼, 그 누구도 대답하지 않는다. 이제 이 시끄러운 페르소나를 멈추어 둔다. 질문에 속한 채, 이제 그게 원래의 답이었던 것처럼.

이 몸이 추락하는 소리가 들리니.

우수수 떨어지는 이 소리가 들리지 않니,
나는 도무지 어떤 언어를 가져야 할지 고민한다.

사이사이 견딜 수 없는 것이 분명 있는데
이것은 내 것도 네 것도 아닌 누구의 방황인지.

꽃들이 발자국을 찍으며 걷는다.
떨어진 꽃잎과 그다음 꽃잎의 보폭이 멀어져 간다.

좁히지 못한 넋들은 이제 저 혼자 무엇을 울어야 할까.
울면서 울면서 왜 자꾸만 향기로, 소리로,
떠돌아다녀야만 하는 걸까.

『잠들지 않는 세계』 중에서

침묵 속에 한 번도 침묵하지 못하는 말들과 함께 침묵해야 할 때, 침묵이라는 말은 얼마나 시끄러운 단어인가.

어쩌면, 꽃들은 밤새 외쳤을 것이다.
나의 마음이 들리나요? 나의 진심이,
이 외침이 당신에겐 정말 들리지 않는 건가요?
이따금씩 온몸을 다해 마음을 외친 적이 있다.
가장 큰 목소리로, 세상 떠나가도록 마음을 외쳤다 .
아무에게도 들리지 않는 이 밤에
세상 고요한 이 새벽에.
도저히 아무도 듣지 않는 그 절정에서
그 절정 속에서만 꽃들은 서서히 피어날지도 모른
다고 생각했다.
외치고 외쳤다.
안. 들. 리. 나. 요. 정말, 당. 신.
아. 무. 것. 도. 들. 리. 지. 안. 나. 요?

그때,
나도 피어나고 있었다.
꽃들을 부둥켜 주저앉고 펑펑 울고 싶던 이 밤에.

『사라지는, 살아지는』 중에서

신실한 외침

바깥은 꽃 피는 소리가 요란하다.
귀를 틀어막자 맞은편 꽃들이 톡톡 터지기 시작한다.

나는 내 안에 앉아 얼마나 외쳐야 피어나는 걸까, 생각했다.
외치고 외쳤다. 눈물로, 오열로, 몸짓으로, 문장으로.

아무도 알고 싶어 하지 않고 듣지 않지만,
종국엔 말할 수 없는 것을 말해야 한다.
침묵으로, 그 자체의 육중한 존재감으로,
그것이 아니면 빛보다 환한 눈빛으로,

신실한 외침은 분명 닿을 것이라 믿어본다.
아니, 나는 언젠가 그 무엇으로 피어날 것이다.

나는 세상 모든 것들의 사이

나는 이따금 아무도 모르는 곳에서 소속 없이 홀로 독백하는 기분이 든다. 나는 자주 아무 말도 할 수 없는 상태가 되곤 한다. 인간을 이탈해 다른 세계에 도입한 것처럼, 마치 식물의 언어를 획득한 것처럼. 다른 세계를 번역할 단어를 찾지 못한 것처럼.

현전성만 점령한 상태, 어디에도 속하지 않는 계(界)와 계 사이, 그러니까 인간과 영혼, 침묵과 자유, 그리고 나무와 달빛 사이.

언어는 종을 넘나들기 쉽지 않으며 오로지 개체의 약속 안에서만 유효하다. 그리하여 나는 이 경계에서 부유하는 말을 자주 앓곤 한다.

각성과 수면의 경계, 자각과 망각, 실재와 몽상, 절망과 희망, 불안과 용기의 경계. 이 모든 경계의 무소속으로부터 나에게 주어진 양극의 세계를 동시에 받아 적어야 하는 운명은 얼마나 죽고 싶은 살고 싶음인지.

그러나 고독한 영혼의 방랑가임을 자처하는 삶은 두렵거나 슬픈 것이 아니라 모든 것과 연결이 될 수 있는 자유의 방식을 획득하는 것이니,
무소속의 외로움이란 또 얼마나 다행인가.

어딘가에 속하지 않으며 세계를 멀리 관조하는 태도는 내게 삶의 유한성을 거의 매 순간 상기시켜주곤 한다. 아이러니하게도 이 간격에서야말로 삶을 사랑하는 마음이 간절해지는 것이다. 이 무형의 세계는 곳곳에서 긴밀히 연결하며 계속 살아가도록 나를 유인하는 것이다.

여전히 나는 여기서 세계의 편차와 시차를 견딘다. 심장과 떨림 사이, 침묵과 소란 사이. 묵언과 언어 사이.
자아가 저항하는 지점에 나를 몰아세우고 등을 떠민다.
그리고 추궁한다. 거기서 무엇을 보았으며 무엇을 들었는가. 그렇다면 이제 그것을 어떻게 할 것인가.

여기 당신과 나 사이, 어떤 마음이 밀려드는가.
들키지 않는 진심은 어떤 언어 속에서 내밀하게 공명하는가.
나는 들리지 않는 모든 마음을 향해 여전히 외치고 있다.

나의 이 신실한 외침이 그곳에 얼마나 닿을지 모르겠다. 누군가에겐 전혀 닿지 않을 것이다. 누군가는 막연히 이해해 볼 것이다. 누군가는 동질의 감정을 느끼며 여기 이 한 페이지에 함께 머물 것이다.

영혼에 대하여

05

흘러가는 은빛 강의 영혼,
내 안에서 춤추는 붉은빛의 의식,
하나의 자유로운 영아,
밤과 낮이라는 삶의 육체,

뿌리를 깊게 내린 단단한 수형의 나무들,
바위 같은 존재감,
그것은 신념과 믿음.

이 몸이 숲이라면.

영혼에 대하여

존재하는 모든 것은 강하다. 숲속의 이름 없는 풀꽃들은 척박한 상황 속에서 꿋꿋하게 생장한다. 나무에 매달린 매미는 제 몸을 능가하는 목소리로 목청껏 존재를 외친다. 살아가는 모두는 어떤 알 수 없는 힘이 있다. 이 육신 안에 있는 강한 무엇. 나를 움직이게 하는, 그 무엇이야말로 오래 나를 지속케하는 힘과 같다. 그것을 정신이라고, 영혼이라고 불러도 무방할 것이다. 비물질성의 영혼이 어떻게 육신을 이끌어 살아가게 하는지는 알 수 없지만, 그것을 이 세계에 어떻게 구축해야 하는가는 이제 나의 몫이 되었다.

존재의 근원에 다가가려는 일말의 애씀은 나를 깊은 한 지점에서 움트게 하고 태동하게 한다.

그리하여 나는 이 실체 없는 것을 기록한다. 내가 주시해야 하는 것, 존재하지만 존재하지 않는 것, 보이지만 보이지 않는 것, 부르지만 부를 수 없는 것, 쉬 드러나지 않는 것, 마치 태초의 강처럼 투명하고 맑은 것. 영혼 그리고 심장이 거기서 뛰고 있다는 감각 말이다.

보이지 않는 것으로부터의

내가 슬픔을 느끼고 행복을 느끼는 곳은 어디인가. 마음이 머물다 떠나가도록 하는 곳은. 나는 나의 어떤 기원을 가지고 있을까. 그것에 어떤 이름을 부를 수 있을까.

나를 움직이는 요소들을 생각해 본다. 사랑과 의지, 호기심 영혼, 한과 슬픔, 사유와 신념, 그리고 희미하다가도 한 번씩 번뜩이는 섬광 같은 희망들, 이토록 나를 움직여 살아가도록 하는 동력은 형상 없는 것들, 공기, 마음, 꿈, 나를 나아가게 하는 것은 이렇듯 보이지 않는 것뿐이다.

육체를 믿을 것인가, 마음과 영혼의 믿음으로 육체를 움직일 것인가에 따라 도달할 수 있는 마음은 달라 보인다. 몸은 언제나 영혼이 자유롭게 제 일을 하도록 보조한다.(그러나 생각과 사고만을 따라가는 사람은 내면에 갇힐 것이다.)

오래된 예배당과 성스러운 고대 유물들, 높은 첨탑의 조각들, 개미의 눈으로 새긴 듯한 만다라와 탱화들, 광기의 화가와 작가의 작품들, 세상의 모든 기적들. 불가능을 가능케 하는 힘은 어디에서 나왔나.

새의 이동은 날개의 역량이 아니다. 날개는 단지 새들이 그 무엇의 충동에 이끌려 태양의 중심을 향하도록 작동하기 위함이다. 수만 번의 날갯짓만으로는 끝없이 펼쳐진 망망대해를 가를 수 없다. 분명 저 주먹만 한 생명에게도 날갯짓을 유도하는 어떤 강한 원력과 의지가 있다.
그 힘이 날개를 써 대서양을 가르고, 사할린을 건너고 혹한에도 살아가도록 한다. 저 작은 새에게 깃들여진 힘의 원료가 정말로 궁금하다. 강하게 삶을 살아가도록 하는 영혼이.

나는 살갗 아래 보이지 않는 막대한 무엇을 감각하고 있다. 그것을 영혼이라 불러도 좋고 마음이라 불러도 좋으며 생의 의지라 칭해도 좋다. 그것이 이 안에서 굶주리지 않고, 병들지 않으며 안락하게 생활하기를, 그리하여 힘이 닿는 데까지 육신을 이끌고 닿고 싶은 곳까지 저 멀리 걸어보기를 바란다. 몸을 지니고 있는 한, 그것이 속박을 느끼거나 움츠려 병들지 않기를 바랄 뿐이다. 세상에 둔감해지지 않기를, 전율하기를 심장이 계속 펌프질하기를, 건강해진 육신으로 더 큰 세계를 향해 사방으로 뻗어나가기를 바란다.

『리타의 정원』 중에서

시력이 좋지 않은 까닭에 숲에서는 숲의 변화를 시각적으로 인지하기는 힘들다. 늘 희미한 눈으로 사물을 관찰하곤 하는데, 무언가 애써 보려 함을 포기한 채 이숙한 풍경을 거닐기 일쑤다. 그래서인지 눈을 제외한 감각의 기민함이 살아나 나를 더 채워준다. 더 깊이 폐부로, 피부로, 느낌으로 전달되는 것이다. 눈이 멀어서야 비로소 희미하게 뒤섞인다. 이원적 시선으로 분리해 바라보는 것이 아니라 장면 속으로 걸어 들어가 그 속에 내가 온전히 녹아들곤 하는 것이다. 위로와 안정감을 넘어선 합일의 상태의 말로는 설명할 수 없는 체험이다. 그 순간의 시간과 공간은 살아본 적 없는 전혀 다른 차원 위에서 연속적으로 지속된다. 영원이 있다면 나는 이 순간을 영원이라 부르고 싶다.

『리타의 정원』 중에서

영혼과 영원 사이

바람의 흔들림. 나를 밀고 있는 어떤 몽상의 손길. 아무도 본 적 없는. 너무나 사실적인 영혼의 나신. 숲에 가만히 앉아 나를 영원에 탑승시킨다. 이제 움직이지 않아도 먼 곳을 다녀오는 듯한 여행을 한다.

한 호흡, 한 걸음의 텅 빈 사색을 하거나, 생각을 잠시 내려놓은 채 산보할 때, 눈앞에 있는 새들의 날갯짓을 좇아가거나, 꽃 한 송이가 천천히 떨어질 때, 꽃자리를 오래 바라보고 있을 때, 그때 나의 시간은 세상과는 전혀 다른 시간으로 전개된다.

가끔은 눈을 감았다 뜨는 그 짧은 순간이 아주 길게 느껴질 때가 있다. 무시간적인 순간. 시간이란 객관적인 체제를 가지고 있지 않는 듯하다. 시간은 절대적이지 않으며 개개인에 따라 주관의 시차를 지닌다. 손목의 시계를 보며 사회에 예속된 시간성이라는 척도로부터 인생을 분할해 살아갈 수는 없는 노릇이다. 그 시간 속에는 내 삶이 없다. 실재의 시간이란 제도적이고 물리적 한계를 넘어선 그 바깥의 시간이기 때문이다.

마음의 시간은 전혀 다른 방식으로 흐른다. 그것은 존재의 근원적 윤활 같고, 생명의 물줄기와 같고, 현실의 운동과 공간의 의미 너머로 확산하는 창조와도 같다. 그 흐름은 무한대의 영속성을 지닌다.

내가 걷는 정신의 길은 인간 세계의 지도와는 차이가 있다. 나는 타인이 상정한 관습적 시간을 믿지 않기 때문이다. 사회적 시간의 회오리에 휘말리려 할 때마다 자주 타자로부터 동떨어져 나와 나만의, 마음의 시간을 걷고자 한다.

오늘도 이곳, 테이블에 앉아 빗소리를 듣는다. 빗소리를 들으며 점차 퍼져나가는 습도를 느낀다. 창가에 놓여 있는 화

병을 바라보다가 꽃의 얼굴을 돌려놓는다. 나는 어느새 피어나는 꽃의 계절 속에 든다. 꽃의 눈을 상상한다. 꽃의 감각에 대해서 상상할 수가 없으나 침묵의 윤곽을 따라 걷다 보면 감각의 어떤 일부가 경련을 일으키는 지점에 맞닿는다.

심장도 없이 꽃은 어떻게 내 심장을 겨누는가. 꽃의 육신으로 살아가는 것은 어떤 느낌일까, 우리는 그것이 될 수 없고 그것에 완전히 도달할 수 없지만, 꽃의 시간을 느끼며 내가 모르는 생의 살을 더듬어 보는 것만으로도 이 육신의 한계를 넘을 수 있을 것이라 믿어본다.

그런 방식으로 나는 침묵과 함께 보이지 않는 무엇을 감각한다. 그러니까 육체의 표피가 아니라 그 안에 잠재된 어떤 힘, 의지로써 변모를 거부하는 하나의 혁명. 태초부터 무엇과도 무관한 채 지속하여온 의식. 그것을 나라고 불러도 무방할 것이다.

그것은 변하지 않는 마음이다. 그것은 물성 자체가 없다. 탈각한 허물에서 부화한 자유로운 원력만 있다. 경계가 없으며 어디에도 도달할 수 있다.

그리하여 이제 심신을 열어 서서히 나아가고자 한다. 나를 구성했던 마음을 모두 관통하여, 내가 모르는 세상의 끝을 향해. 살아본 적 없는 삶의 눈을 뜨고, 가본 적 없는 꿈의 거리를 걷다가, 어느 날 문득 운명처럼 누군가를 깊이 이해하게 되듯. 그렇게 심장이 뛰는 어느 세계로. 영혼에 활착한 것들이 무사히 꽃 피우는 곳으로.

나는 이제부터라도 나만의 고유한 무엇을 살고 싶다. 오로지 살아본 적 없는 삶으로써. 유일한 영혼을 통해서 말이다.

— 저 멀리 바다를 봐봐. 흔들리는 물살을, 햇 노을의 번짐을, 부딪히고 화해하고 뒤엉키는 붉은 심장을, 파도의 춤을 봐봐. 모두가 출렁이는 장면을. 무엇이 이것을 물결치게 하니? 바다? 바람? 아니야. 그건 영혼이지.

『잠들지 않는 세계』 중에서

영혼은 몸보다 멀리 나아간다. 당신에게, 그리고 모든 장소에. 우리에게 제한된 물리적 시공 너머 서로를 탐험할 수 있는 것은 영혼, 영혼뿐이지.

모든 계절이 유서였다

06

—아직 귓불을 만지는 바람은 더 할 이야기가 많다고 한다.

가을볕 아래 서 있는 수풀은 여름이라는 철없는 푸르름의 색채 위로 조금 더 깊은 음영을 더했다. 바람의 붓 터치는 풍경의 질감과 색채를 더 강렬하게 매만진다.

청록의 풍경은 적색이 조금 섞이며 비로소 조금 더 깊고 풍성해졌다. 매미 소리는 덧칠한 채색 아래 박제되고, 그 자리를 다른 소리가 와서 메운다. 아직 여름의 풋 때를 벗지 못한 나무들은 서둘러 계절을 따르느라 분주했다.

생동하는 것들은 우리의 눈을 자주 잡아끌며 그것을 자신과 공유하게 한다. 그렇게 나는 나도 모르게 붉어지며 어느 계절의 한 가운데 당도했다.

자연으로의 산책은 언제나 벅차다.

보이지 않고도 잘 보이는, 들리지 않고도 잘 들리는, 그 순간의 접경에서 자연은 나를 불러 세우고 제 심장을 열어 보여준다. 그리하여 곁에서 매번 가슴이 뛰는 것이다.

불립문자. 내게 세상을 가르쳐주는 것은
인간이 아닌, 늘 말 없는 것들이다,
살아서 온전히 자신만을 다 하는 그것들뿐이다.

『모든 계절이 유서였다』 중에서

바람은 등 뒤에서 나의 산책을 떠민다. 나는 자리에서 박차고 일어나 조금 걷는다. 수형이 다 다른 그림자, 마지막 남은 매미 소리, 노랗게 물들어가는 키가 큰 은행나무, 까슬한 발의 촉감으로 뛰뛰는 까치들의 놀음. 바람은 숲을 정면으로 관통하며 스 - 스으- - 숲의 잎사귀를 모두 흔들며 지나간다. 여전히 낮은 바람의 음표 위에서 연주하는 새소리, 어제의 삶과 내일을 죽음을 완전히 망각한 숲의 자유.

여기에 나를 모두 풀어놓고 있을 때면, 삶은 마치 정말 실재하는 것 같다.

살아 있다. 한낮, 태양 아래, 숨 쉬는 모두는 이 생을 야무지게도 붙들고 있다. 매달려 있는 것들은 죄다 눈부시다.

인간은 사물의 빈 여백 사이로도 사유하고 연민하는 능력을 지녔으니 마음은 이렇듯 어디에도 보이지 않지만, 어디에도 있다. 있다, 바닥보다 더 낮은 바닥과 하늘보다 더 높은 하늘이, 눈보다 더 깊은 눈, 얼굴보다도 더 내밀한 얼굴이. 눈의 눈을 열고 귀의 귀를 열지 않으면 지금 머리 위에서 지저귀는 새의 울음을 듣지 못할 확률이 높다. 벤치에 앉아 깊은 정념에 빠져 눈앞의 밝은 세계를 자꾸만 놓칠 때, 우리의 내면은 시력을 잃어간다.

『리타의 정원』 중에서

태양 빛이 흘러내린 자작나무 가지에는 최후의 낙엽이 마지막 그림자를 만끽하고 있었다. 마치 하나의 짐승처럼 나무의 잎마다 매달린 빛의 물질들. 결코 낙하하는 일 없는 빛의 기교.

바라본다. 이제 막 태어난 갓난아이의 어리둥절한 시선으로, 신비롭고 이상한 세상의 시선이자 동시에 최후를 바라보는 인간의 마지막 시선으로, 유한한 시간 밖으로 퇴장하는 노인의 시선으로, 끓고 있는 하나의 눈과 차갑게 식어가는 하나의 눈빛으로.

이곳에 있으면 자꾸 발견하게 된다. 나의 존재감과 부재감을 동시에 마주하게 된다. 한쪽 눈으로는 삶을 바라보고 또 다른 눈으로는 죽음을 동시에 바라본다. 세계의 주인인 것처럼. 동시에 세계에서 완전히 삭제된 것처럼. 그렇게 나는 생과 사의 그 사이에 서 있다.

의식의 눈

보이지 않는 것이 보일 때까지, 내가 나를 완전히 잊고 사물이 나에게 말을 걸 때까지 가만히 바라볼 것. 그러니까 육체의 눈으로는 현상을, 선과 색채, 질감과 촉감 그리고 선명한 사물의 외형을. 그리고 또 다른 의식의 눈으로는 사물의 탄생과 소멸, 부재와 실재, 허상과 실체를 바라볼 것.

나무가 말을 건다는 표현은 인간세계에서는 오류다. 그러나 다른 감각의 지점에서 그것은 분명한 존재감을 드러낸다. 인간의 시력으로는 잘 안 보일 뿐이다. 눈으로 보는 것이 아니라 발달하지 않은 다른 감각의 눈으로 바라봐야 한다. 오감 너머의 가장 깊은 눈으로. 그것은 아무것도 바라보지 않음으로써 바라보는 의식. 가장 선명하며, 맑은 눈빛이다.

다양한 스펙트럼으로 삶을 관통하여 들여다보는 의식의 시선에 대해 말하고 싶다. 의식의 눈은 무형의 세계를 관조하는 시각이다. 그것은 보이지 않는 내부의 눈이며 보이지 않는 것을 보는 눈이다. 의식은 육신을 가지지 않았다. 육체가 없기에 자아가 없으며 감정을 지니지 않았다. 감정을 지니지 않았기에. 수동적이며 태도가 없다. 의식의 눈은 외부의 화려한 시각에 작용하지 않는다. 거기 부재로써 존재하는 눈이다.

초점을 맞춘 다 다른 시선이 타협점을 찾을 때 비로소 나는 그것을 객관화할 수 있겠다. 심연에서부터 환희까지를. 허구에서부터 실재까지를. 언젠가 현상과 의식의 중립을 지켜내며 세계를 기록할 수 있기를 바란다.

우리는 도구를 통해 세밀히 사물을 관찰할 수 있는 능력이 있다. 예를 들어 망원경을 통해서 보다 먼 거리의 것들도 정확히 관찰할 수 있고, 안경과 현미경을 통해서도 좀 더 정밀하게 사물을 볼 수도 있다. 그러나 그것을 과연 '본다'고 정의할 수 있는지는 모르겠다. 나는 무언가 자세히 바라봄으로써 또 다른 이면의 무엇을 놓치고 있는 기분이 들 때가 많다. 시각은 언제나 이편과 저편을 이분법적인 시선으로 분리하는 모순된 속성을 지녔고, 그것은 우리 내부와 외부의 좁히지 않는 간극을 양산하기에 이르렀다. 그리하여 우리는 무언가를 제대로 보려 할수록 내적 갈등을 자주 앓는지도 모르겠다.

나는 줄곧 내면과 외부의 안과 밖에서 조화를 찾는데 자주 실패하곤 한다. 그럴 때면 나는 바라봄의 행위를 한 번 더 의심하기에 이른다.

예컨대 눈은 눈을 바라보지 못한다. 눈은 사물을 보지만, 정작 나 자신을 볼 수는 없다. 눈은 볼 수 있는 것을 제외한 모든 것을 볼 수 없다. 맹점이 있기 때문이다.

자세히 바라보려 할수록 우리는 감각할 수 있는, 더 많은 것을 놓치고 말 것이다. 삶의 중요한 가치와 본질을 바라보는 것은 시각이 아니라 시각을 제외한 그 무엇이기 때문이다.

정작 자신은 바라볼 수 없는 눈을 통해서 나를 제외한 채 외부의 세계에 현혹되어 맹신하게 될 때, 우리는 내부와 외부를 연결할 회로를 잃고 말 것이다. 그리하여 마음의 혼돈이 발생할 것이다. 감각의 균형을 완전히 잃었기 때문이다.

우리는 정작 진짜의 눈으로부터 얼마나 멀리 달아난 것일까. 나는 이제 나와 얼마나 먼 간격으로 서 있는 것인가. 시각이 점령한 사회의, 온갖 포장으로 유혹하는 것들을 바라보며 한편 질문을 가져보는 것이다. 나를 제외한 저편을 바라봄으로써, 나는 이제 유령처럼 내가 없는 세계를 배회하는 듯하다. 모든 것을 물성으로 대체하고자 하는 시각은 이제 현대에 와서 하나의 권력이 되어버린 듯하다. 시각의 절대적 믿음은 우리를 어떻게 지배하게 되었는가. 세계를 오로지 외형만으로 구체화하거나 묘사하는 것은 또한 얼마나 폭력적인가. 나는 이 시각적 헤게모니를 부정하면서도 글이라는 표상적 도구로 토로해야 함을 정말 유감스럽게 생각한다.

나는 삶을 입증하기 위해 다시금 시각을 빌리고 있다. 그러나 사물을 묘사하기보다 그것을 관통하는 무엇을 발견하는 것은 더 중요한 듯 보인다. 사물을 고요히 주시한 채, 자신의 내면의 커튼을 열어젖혀야 하는 것이다.

시각적 자극에 노출된 사람은 맹인이 되어버린 채 자신만의 유일한 힘인, 존재감을 모두 상실하기에 이른다. 시각에 몰두한 나머지 점차 감각의 근력을 잃어간다. 사물을 눈으로 바라보는 것이 아니라 또 다른 의식으로 바라보아야 하는 것이다. 실재라고 불리는 것은 결코 바라봄으로 드러나지 않는다. 잠재적 세계는 그 이면에 놓여 있다. 그리하여 나는 매번 미약해져버린 심안과 영안을 되찾으려 노력한다. 나를 시각으로 대하지 않는 유일한 이곳. 자연 속에서 말이다.

(우리는 또한 자주 핸드폰이나 책 따위 혹은 한 줄의 글을 쓰기 위해 지면을 바라보면서, 손바닥만 한 그것이 전부인 듯 몰두하면서 동시에 얼마나 큰 세계의 아름다움을 잃어버리는 것인가. 만들어진 가상세계와 새하얀 백지 속 활자를 믿으며 정작 살아 있는 삶을 놓치고 있는 것은 아닌지.)

나는 자연을 바라본다. 그러나 그들은 나를 바라보지 않는다. 식물은 (인간을 제외한 모든 물성은) 나를 재단하지 않는다. 관찰과 편견은 인간만으로 충분히 피로한 일이고 고통스러운 사건이다. 만약 사물에 눈이 있다면 세상은 어땠을까. 모든 것이 나를 주시하고 판단하는 세상이라면, 어쩌면 그런 일이 일어나지 않는 것만으로도 이곳의 삶은 이미 낙원인지도 모르겠다.

이제 시각의 스위치를 끈다. 욕망과 자극으로 점철된 감각을 의도적으로 차단하는 이러한 행위를 주도할 수 있는 것 역시 인간의 유일한 능력이므로 다행이라 말할 수 있겠다.

인간을 제외한 풍경은 오늘도, 내일도 나에게 다른 방식으로 대화를 시도할 것이다. 그 방식은 어쩌면 인간의 날카롭고 차가운, 혹은 따가운 관심과 편견보다도 더 온화하고 인간적이라는 생각도 든다.

언제부터인가 자연을 벗 삼는 시간이 많아지다 보니 심장은 그것들과 교화하는 주파가 적응되었고 나는 무음에 친숙해졌다. 인간의, 인위적인, 인공의 모든 잡음은 침묵 속으로 비집고 들어와 무차별적으로 공격하며 심장을 불안하게 한다. 높은 데시벨과 난해한 주파는 나를 그 자리에서 서둘러 떠나도록 한다. 언제부터인가 나를 이루고 있는 기원이 식물과 조금 더 가깝다고 느낀다. 태초에 나를 구성했던 가장 순수한 물질, 순수한 소립자. 원천이 되었던 물의 기원에 다다를수록 나는 투명하고 맑은 존재가 된다. 도무지 변화하는 사회에 길들지 않는 고유의 물질로써 말이다.

그리하여 다시금 영혼을 정화하려 한다. 의식 안에 상주하는 소란을 밖으로 밀어내고 녹음이 우거진 숲으로 채우려 한다.

계절과 계절 사이

숲속의 나무는 하늘을 향해 두 손을 모아 태양을 받쳐 들고 서 있다. 키 작은 잡목들도 몸을 뻗은 후 자신들만의 시간을 만끽한다. 식물은 침묵의 방식으로 자유를 획득한다. 갇힌 침묵이 아니라, 온몸으로 활동하는 활자이다.

오래 침묵해본 인간은 알 것이다. 식물은 바람과 물, 태양의 맛을 보는 것만으로도 이미 자유로운 영혼이라는 것을, 어떤 기개는 충분히 제 안에 들어보아야 올곧아진다는 것을, 그 속에서 제 몸을 밀어내는 방식으로 긴 순례를 한다는 것을, 그리하여 멀리 움직이지 않더라도 스스로 충만한 존재라는 것을. 나는 안다. 허공에 손을 뻗어 나무를 흉내 내 보는 것만으로 마음의 단단한 안식과 평화를 얻을 수 있다는 것을.

동쪽에서부터 태양빛을 받는 나무들. 그 뒤의 나무들은 광합성 할 차례를 기다린다. 키가 낮아 볕을 쬐지 못한 음지의 식물들도 여전히 몸을 뻗어 제 살 궁리를 한다.

인간의 감식안으로는 거의 의식할 수 없게 아주 조금씩 물들어가는 가을의 나무들. 그것은 조심스러운 침묵이고, 행동하는 고백이다. 하나의 마음이 하나의 마음을 물들이는 믿음의 방식이다. 그렇게 가을은 다른 계절처럼 돌연히 다가오기보다는 아주 조금씩 마음을 열게 한다. 가을은 성숙한 여인의 마음같이 저를 인내하며 또 차분한 방식으로 자신을 사랑하게 한다. 그리고 서서히 누군가를 물들이며 떠나가 버린다. 가을은 어쩔 수 없는 그리움과 쓸쓸함의 상징이다.

앞산으로 날아가는 까마귀의 울음소리. 마치 자기가 말 걸고 자기가 대답하듯 뒤따라오는 메아리. 아무도 없는 산 중턱의 초원. 제 몸이 제집인, 관목은 광량을 충분히 받고 가을을 좇아 붉어져 간다.

다 다른 수형의 나무들이 잎을 털어내며 자세로 말한다.
마지막 잎새들은 바람의 급류를 탄다. 풍류에 몸을 맡겨 온몸으로 흔들림으로써 생존을 도모하는 잔가지들. 나의 인

식과 감정 역시도 저 잔가지처럼 흔들리는 방식으로서 뿌리를 지킨다.

벚나무는 가장 성급한 나무다. 봄이 오기도 전에 가장 먼저 꽃을 열어 소식을 전하고 여름에는 가지마다 사춘기 학생처럼 열열한 자신감으로 새순을 밀어내며 제 푸르름을 뽐낸다. 그리고 다른 나무들이 아주 조금씩 가을을 알릴 채비를 하는 동안 벚나무는 이미 붉어진 잎을 툭툭 떨구며 겨울의 소식을 제일 먼저 알리고 동면에 든다.

나무와 함께 나는 조금 짙어졌다. 바람이 몰아치면 가지에 매달려 있는 잎새는 바람결에 휘날렸다. 가지를 꼭 붙들고 있는 생명의 마지막 색채는 강렬하고 아름다웠다.
작은 낙엽은 나비를 흉내 내며 날아갔고, 큰 활엽은 새를 모방하며 낙하했다. 그렇게 나도 남은 것들을 털어내었다.
가을이 간 자리 이제 기다림의 자세만 남은 풍경들.

숲은 묵상에 들었다. 나무는 자세와 태도로 말한다. 제 몸으로 견고한 활자를 엮는다. 너무나 명확한 언어로. 갇힌 침묵이 아니라 온몸이 생동하는 자유로움 그 자체로.

침묵하는 것은 언제나 수직으로 존립한다. 수승의 힘으로 존재를 확고히 한다. 역주행의 안간힘 혹은 의지의 반향으로, 드넓은 하늘을 향해 존재를 깊이 뿌리박는다. 꽤 깊숙이 박힌 침묵의 뿌리는 견고하고 정밀하여 세계의 바깥에서도 제 몸으로 단단히 지지하고 서 있다. 잘 흔들리지 않는 침묵이 있다. 그런 사람도 있을 것이다.

인간인 나는 그들의 뿌리를 달래거나 풍경을 살려내는 업무를 받았으므로, 시들지 않도록 깊고 내밀한 곳에서 체계적으로 그것을 돌보는 중이다. 그렇게 삶은 내 몸에 뿌리를 내렸고, 나는 자주 그것을 옮겨 적거나 살아보려 한다.

대지와 하늘을 지탱하고 있는 나무처럼, 이제 이곳의 나와 저편의 내가, 내면과 외면의 손을 꼭 잡고 육과 신을 이어가고자 한다.

텅 빈 풍경엔 올곧은 자세들만 긴 겨울을 지킬 것이다. 그것을 침묵이라 불러도 좋고 고독이라 불러도 좋을 것이다.

겨울은 항상 단호하게 온다. 나무와 나는 굳건할 준비가 되어 있고, 이제 성급히 다가온 것을 내가 자연에게 배운 방식대로 잘 보내줄 것이다.

모든 계절이 유서였다

일본목련 잎새는 마른 땅 위에 배를 뒤집고 누웠다. 마치 긴 순례를 하고 돌아와 자신들의 성지에 당도하듯, 한둘 모여 쌓이는 자리는 죽은 새들의 무덤 같다.

나는 가만히 다가가 잎새를 주우며 방금 막 매달려 있던 나무를 바라본다. 생과 사는 한 척의 거리만큼 이리도 가깝다. 이제 평온히 영면한 낙엽은 더 이상 표정이 없다. 완전히 해탈했다.

지상의 모든 사체는 꼭 배를 하늘로 향해 눕는다. 낙엽, 풀벌레 그리고 동물과 인간처럼 말이다. 그럴 때 나도 꼭 같이 먼 하늘을 올려보게 된다. 서서히 시들어 말라가며 최후가 되어서야 바라본 장면. 광대하고 눈부신, 마지막 순간에 다다라서야 올려다보게 되는 하늘. 그리고 한때는 그 아래 속해 있던 세계.

나는 나의 임종을 마주한 기분을 느껴본다. 눈을 슬며시 감으면 나의 동공은 이제 한때 삶이었던 모든 풍경을 그러모아 제 안으로 광대한 우주를 옮겨 놓고 있다. 그리고 묵상한다. '언젠가 그런 방식으로 나는 자신의 우주가 되어 영원히 잠들 것이다. 모든 생의 번뇌와 일체의 나부낌은 세상의 몫으로 남겨둔 채.'

(한때는 살아서 나부꼈던, 삶의 절정을 향해 내달렸던, 뜨거운 생명이었던 것들. 그들은 제 몫의 삶을 내게 남겨주고 떠나갔다. 그렇게 저물어가는 것들을 홀로 바라본다는 것, 참으로 무거워지는 일이다.)

이러한 의식의 눈빛으로 바라보는 습관적인 태도는 나를 인간의 것과는 다른 시간으로 살아가게 한다. 그러니까 자연은 내게 산다는 것이 꽤 경건한 일이라는 것을 상기시켜주곤 한다. 나는 매일 자연을 경전처럼 펼쳐두고 읽고 또 읽어 내려간다.

순간과 기록

여름의 긴 꼬리가 서둘러 지나가고 밤새 잎을 물들이던 나무는 한낮 잠 속에 빠져들었다. 나는 어느새 인간의 시간을 지나 식물의 시간에 오래 앉아 있었다. 태양의 각도가 서서히 이마를 향했고, 나는 한 줌의 빛이 타고 내리는 얼굴을 만졌다. 그것은 태양도 아니고 빛도 아닌, 살아 있음. 살아 있음이었다.

저편에는 아직 할 말이 조금 남아 있는, 인간의 혀처럼 축 늘어뜨린 벚나무의 붉은 잎들. 그것은 꼭 유순한 입을 닮아서. 무슨 말을 할까 자꾸만 귀 기울이게 된다.

서풍이 조금 불자 들리지 않은 것들이 몰려들고, 그렇게 그대로 나는 하나의 나무와 숲을 통과하며 더 이상 몸을 앓지 않아도 좋을 무시간적인 순간 속으로 향했다.

삶의 옷자락을 꼭 부여잡은 채 그것을 한껏 누렸던 어떤 빛나는 순간, 내 전부였던 순간들. 그 어떤 방해물도 없으며 풍경 속에 녹아들어 일체가 되었던, 지속적인 평온이 마치 영원의 융단 위에 나를 올려놓은 것만 같았던, 그것을 신의 축복이고 선물이라 말해도 좋을. 나는 그렇게 살았고, 또 지속해왔음을 기록하는 것이다.

나무 한 그루가 가을 옷을 완전히 벗을 때까지. 어느덧 내가 노랗게 물들어 내릴 때까지. 그 앞에 하염없이 앉아 있는 것. 그건 영혼이 되는 일이고 이렇게 기록한다는 건 다시금 인간의 시간으로 되돌아와 영혼이 되었던 순간들을 남기는 일이다.

기록 그 자체는 영혼일 수 없지만, 광명을 맞이했던, 그리하여 한순간의 영혼이었던 때를 기억하고 싶은 마음은 있어서 떨어지는 잎새를 주워 언제 다시금 곱씹어 읽게 될 삶의 페이지 사이에 하나하나 끼워두는 것이다.

책장을 덮듯 그렇게 가을은 가고, 누군가 다시금 펼칠 페이지처럼 다음 계절이 온다. 내일의 죽음을 예측할 수 없는 인간처럼 낙엽이 지고, 그 자리를 영원히 살 것처럼 우리는 걸을 것이다. 텅 빈 벤치는 말이 없고, 나는 앉아 있다. 한 그루의 나무 아래, 모든 잎새가 다 질 때까지. 옷깃에 흰 눈이 붙으면 그때 툭툭 털고 일어날 때까지.

도무지 언어로 적을 수 없는, 손바닥 위에 올려놓고 오래 바라보아야 하는 자연의 침묵. 어느 날 삶 속에 꽂아 둔 낙엽 갈피를 발견했으면 하는 마음으로, 시간이 한참 흘러 우연히 떨어뜨린 삶 속에서 꼭 마주했으면 하는 마음으로, 이 날의 풍경을 남긴다.

요즘은 그렇다. 어떤 대단한 작가가 되어 한 권의 책을 쓰기보다는 그냥 그 글 안에서 아름답게 사는 사람이 되고 싶다.

잃은 말과 앓는 말 사이

가을은 모두를 침묵하게 한다. 가을은 도무지 완성될 수 없으며 맺어야 하는 아쉬운 다짐만으로 풍경을 완성하고, 남은 희망의 씨앗을 누군가의 가슴에 심고 떠나갈 것이다.

그냥, 말이 하고 싶다. 나는 곧 종말 할듯한 계절에 대해 당신과 이야기하고 싶다. 끝날 듯 끝나지 않을 대화로써, 이제 막 시작하는 기분으로 약간의 희망을 연장하고 싶다.

- ❦ -

여기 살아 있는 모든 것의, 우리의, 당신의, 풍경의, 이름이 다 하나같고 그래. 나이도 똑같고 직업도 똑같고. 어떤 의미에선 맞는 것 같고 그래. 살아 있는 동안 마주치는 모든 것들은 살아 있는 동안에만 만나기에.

하고 싶은 말은 그래,
자작나무 잎새가 떨어지고 있더라고.

낡아가는 것들과 함께 천천히 낡아가고 싶다.
나의 존재가 쓸모를 다 할 때까지.

계절과 계절 사이. 당신과 나 사이,
잃은 말과 앓는 말 사이 무엇이 있어.

무구한 것들, 영원한 것들,
그것이 거기서도 잘 들렸으면 좋겠어.

세계 위에서 단단하게 존립하는 법을
나는 자연에서 배운다.

계절과 자연은 모든 사람을 통과할 것이다.
통과하며 보이지 않는 이야기를 계속할 것이다.

'Kunst für das Leben'

예술을 위한 삶이 아닌, 삶을 위한 예술.

작업노트

07

오래 그물에 갇힌 감정이 대어처럼 파닥거렸다.
이 느낌의 이름을 뭐라고 불러야 할까?

이 순간의 느낌을 어떤 방식으로 들어낼 수 있을까?

.

.

.

나는 순간의 느낌을, 이렇게 이상한 말을 통해
가능한 한 비슷하게 연출해 볼 뿐이다.

이 글은 결국 아무것도 재현할 수 없음을 잘 안다.
느끼지 않고서는 살 수가 없는 병,
형상을 갖지 못하는 감각의 집착을 견디지 못해서
느낌이 투신한 자리에서 탐정가처럼 그것을 추리하는
나는, 사라진 것들만을 골몰하는 사람,
그리워하는 사람.

『이, 별의 사각지대』 중에서

태양 볕에 반사되어 아롱거리는 물의 표면. 그런 것은 눈에 닿아 황홀이라는 착시를 일으킨다. 일으키며 눈동자가 함께 붉어진다. 돛배를 타고 해수면을 따라 넘실거리듯 홀로 떠 있다는 약간의 일탈감. 세계의 바깥에서 물의 모국어를 듣는다. 저 안쪽의 깊이와 온도 혹은 이름 모를 물고기의 헤엄이나 해초의 흔들림을 떠올리는 것. 그것은 인간이 할 수 있는 상상의 개별적 여행일 것이다.

여러 책 속에서, 혹은 문장을 통해 인간의 한계를 동일하게 마주할 때, 이상의 언어에 대한 갈망이 나를 슬프게 한다. 이미 세상에 정답처럼 놓여 있는 활자들, 여러 개의 단어를 조합해보며, 어떻게 지면에 다른 차원을 펼칠 것인가. 나는 붉게 타오르는 석양을 바라보며 자주 감동한다. 하지만 내가 묘사하고 싶은 것 앞에서 자주 표현의 한계를 느낀다. 내가 바라볼 수 있는 조악한 시선의 범위, 더불어 인식할 수 있는 의식의 한계와 마음의 속박으로부터 절망을 느낀다.

심해 속에서 수천만 밤을 새우고 아무것도 건져 올리지 못한 그물은 문장이다. 그것은 지상의 것보다 더 큰 대어를 세계의 밖에서 낚고 있을지도 모른다.

『이, 별의 사각지대』 중에서

격정의 밤. 깊은 심연 아래로 그물을 내리는 뱃사공처럼 글을 쓴다는 건 자주 외롭고 먹먹한 일이지만, 아무것도 획득하지 못하더라도, 나는 분명 어디선가 내가 원하는 문장보다도 더 큰 우주를 낚고 있는 중이라 믿어야 한다.

깊이 침잠하는 시간

어둡고 질긴 고독 속에 파고드는 일은 참으로 두렵고 먹먹한 일이다. 그러나 그런 방식만이 심장에 다다를 수 있다고 여전히 믿기에 나는 오늘도 깊이 내 안으로 침잠한다.

의식에도 수심이 있어서 내부로 들어가면 들어갈수록 다른 감각을 감지하게 된다. 깊은 미지를 향할 때, 바깥의 소란은 금세 잠식되며 나는 점차 단순해지기에 이른다. 심장의 맥박 소리가 비로소 가장 가까이에서 들린다. 그 낮은 침묵의 기저에 앉아 줄곧 생각한다. 이것이 운명이라면 불행보다는 그래도 다행에 가깝지 않을까 하고. 삶과 죽음의 양면을 이토록 가까이에서 종이 짝처럼 느낄 수 있으니 말이다. 이곳에서는 더 이상 아무와도 대화하지 않아도 된다. 힘차게 율동하지 않아도 된다. 가만히 나의 현 상태를 바라볼 뿐이다.

이 느낌은 마치 잠과도 같고, 깊은 명상과도 같으며, 물속 잠수와도 같다. 땅속에 뿌리내리는 나무의 서늘한 기분과도 가깝다. 그러나 희미하다기보다는 조금 더 맑고 기민한 정신에 가깝게 느껴진다.

글을 쓰는 일은 이렇게 깊은 해저 속으로 잠수하여 무중력 상태를 실감하는 일이다. 그리하여 나는 글을 쓰기 이전에, 이 삶을 물의 속성에 비유하려 한다. 태양빛이 자글거리는 물의 표면이 아니라 그 아래 거대한 수중, 까마득한 미지에 대해 말하고 싶다. 양팔을 뻗어도, 두 다리를 휘저어도 닿지 않을 깊은 심층 말이다. 거기서 나는 자주 생의 공포를 느끼곤 한다.

나를 위협하는 건 나 자신뿐, 물은 나를 가해하지 않는다. 그리하여 나는 이제 경직된 두려움을 내려놓은 채 내가 지닌 불안의 모양을 감지해보려 노력한다. 심호흡을 크게 하고 나는 다시 용기 내어 본다. 그리고 깊은 물속에 나를 다시금 빠뜨려 본다. 살고자 하는 단 하나의 의지만 남을 때까지. 그 속에서 나의 마주하기 싫은 모습을 본다. 많은 것들이 단순히 보인다. 살려는 의지, 그 의지조차도 내려놔야 하는 의지. 마음의 강한 수축, 근육의 경직, 불규칙적이고 날 선 호흡.

이 모든 것을 동시에 바라보며 이제부터 스스로 이 불안을 컨트롤하기를 기다린다. 종종 절박한 상황에 몰아넣는 이유는 가식 없는 진짜 나의 참 모습을 볼 수 있기 때문이다.

내가 하얀 지면을 마주하며 느꼈을 마음. 이 계속되는 삶의 멀미. 아득한 심연은 비단 수중만이 아니라 삶과 글 속에서도 똑같이 느껴진다. 그러나 더는 두려움에 빠지지 않는다. 오로지 하나의 감각, 그리고 호흡, 살아 있음만을 주시한다.

종이를 넓은 면적으로 때리면 뚫리지 않지만, 미세한 구멍을 내듯 뾰족하게 한곳을 가격하면 종이가 뚫리기 마련이다. 하나의 사유를 몰입한다는 것은 이쪽 면에서 저쪽 면으로 지면을 뚫는 일과 같다.

우리를 현혹하는 첨예한 감각이 이 세계를 관통한다. 반대편에 놓여 있는 내면으로 진입한다는 것은 고도로 함축된 예리한 침으로 섬세하게 넘나드는 일이다. 충격을 최소화하며 또 하나의 세계를 얻는 일이다.

그리하여 다이버처럼 내면 깊이 침잠한다. 무엇을 위해 그렇게 해야 하냐고 묻는다면 우리는 이면을 상상하는 데서 오는 공포와 불안으로부터 자유롭게 되기 위해서라고 말하겠다. 환한 나의 일부만으로 살아간다는 것은 반신의 장애와도 같다. 일부의 삶이 건강하지 못하다면 보이지 않는, 발견되지 않는 이면에서 원인을 찾아보아야 하기 때문이다. 무엇을 설명하기 위해 이 글을 쓰냐고 묻는다면, 글을 쓴다는 것은 아주 섬세하면서도 두려운 것을 해내야 하는 삶을 겪어내는 일이라고 말하겠다.

한 호흡씩 고요히 내려가본다. 닿지 않는 심연에 무엇이 있는지, 나를 두렵게 하는 것은 심연의 깊이가 아닌 나 자신이므로.

부디, 나의 페르소나를 똑바로 바라볼 수 있기를 바란다. 그것을 온전히 내 편으로 마주하고 나서야 나는 그것에서 벗어날 수 있을 것이다.

그리고 이 페르소나의 허물을 탈피하기를 바란다. 탈각한 정신의 몸부림과 인간으로서 할 수 있는 최대치의 비상을 느껴보길 바란다. 그리고 삶과 자아를 동일시하지 않고, 용기 내어 삶의 끝 간 데를 살아내었으면 한다.
한편 냉정한 관찰자로써 말이다.

(이러한 기록은 또 다른 나를 필요로 한다. 자아의 묘사는 독립된 나로 하여금 쓰인다. 나는 하나의 의식으로서 내가 보아온 것과 말할 수 없는 세계의 언어를 가장 인간적으로 인간들에게 번역하기를 바란다.)

다시금 깊고 사나운 문장 안으로 나를 다 밀어 넣는다.
그 속에서 무엇을 듣고 무엇을 보았는가. 그것을 적는다.
나는 나의 심중 한가운데로 끝없이 긴 줄을 내린다.
어떤 모습의 내가 절박하게 그 줄을 잡을 것인가, 기다리며.

극지의 서

기쁨의 그 이상을 느낄 때, 슬픔의 그 너머를 겪을 때. 우리는 말을 잃곤 한다. 환희와 고통, 고독, 죽음과 깨달음. 감각의 극지에 닿아 본 사람이라면 안다. 거기서 우리는 아무 말도 할 수 없다. 거기엔 언어가 존재하지 않는다. 비언어의 세계. 언어도 인간도 없는 다른 차원의 계(界). 나는 자주 그것이 궁금하다.

그러니까 인간은 어디까지 언어를 사용할 수 있을까. 나는 인간의 속성과 발설하지 않고서는 도무지 살아갈 수 없는 이 개체를 생각한다.

동시에 나는 나에게 질문을 던진다. 내 안에 잠재된 의식과 시력의 총합으로 어떤 세계를 발견할 수 있는가, 나는 때때로 심안과 영안을 되찾으려 애쓴다. 무한한 미지의 영역인 마음의 심층을 파헤치면서 말이다.

그런 방식으로 침묵의 끝에 도달할 수 있을까. 인간은 결코 닿을 수 없는 심중, 인간이 걷지 않는 고독, 인간이 살지 않는 세계, 인간에게서 탈락하거나 퇴화한 감각을 되찾아 신, 그러니까 신성한 영혼의 전언을 들을 수 있을까. 몸을 한껏 낮춘 채 찬미하며 번역할 수 있을까.

나는 아무것도 모른다. 모르는 것만을 알 것 같다.

모든 언어를 소진한 후에는 무엇이 남아 있을까.
모든 단어를 거슬러 올라 단 한 마디도 남지 않는,
그 침묵의 모국에는 어떤 자들이 살아가나.

예술에 대한, 사념

삶의 한 가운데서 간혹 어떤 목소리가 세포를 타고 몸에 내려올 때면, 나는 내가 아닌 다른 몸으로 그것을 받아 적는 사람이 되곤 한다. 단 한 번이라도 환한 감각을 마주한 사람은 이전의 삶으로 돌아갈 수 없다. 그리하여 남들은 모르는 또 하나의 눈을 내면에 착용하고 살아가야 하는 것이다.

나는 언어를 넘어선 어떤 마음에 도달해 형언할 수 없는 위대한 것. 내가 겪은 이지적 감각의 평정을 지속하고 싶었다. 이 현저한, 무성을 향한 언어를 듣고 싶을 뿐이다. 그러나 일순의 광명은 자주 찾아오지 않으며 한순간 신이었던 감각의 격정은 다시금 아무도 없는 깊은 밤의 심연 속에 한 사람을 저 홀로 포효하게 하는 것이다.

어떤 면에서는 종교와 예술이 다르지 않다. 그러나 내게 예술은 믿음이 아닌 믿음을 의심하는 영역에 더 가깝다. 믿음을 믿는 것보다도 믿지 않는 행위가 가장 중요해 보인다. 성직자들이 신의 목소리를 옮기며 기도와 전도를 한다면,

예술가들은 이 까마득한 심연 속에서 저 홀로 신을 만나는 일이다. 믿음보다는 의심으로, 설법보다는 독백의 문장으로, 전도보다는 함구의 기술로. 그것은 얼마나 두려운 일인가. 하얀 지면 위에서 눈부신 광채와 황홀경을 마주하기 전까지 작가의 인내는 공포 그 자체일 것이다.

- ❦ -

깊은 내면을 제 손으로 파헤치며 걸어들어가는 것은 외롭고 두려운 일이다. 사유한다는 것은, 그러니까 이따금 죽음을 유보하고 싶은 최대치의 생의 의지이자 동시에 다시금 자력으로 생의 극단까지 굴러떨어지는 일 같기도 하다. 글을 쓴다는 건, 더불어 예술을 한다는 건 일생에 단 한 번 마주했던 각인된 환희를 영원히 그리워하는 일이자 동시에 죽음에 가장 근접한 여행이라는 생각이 든다.

- ❦ -

오감으로 체득할 수 없는, 막 다른 지형을 향한 모험은 늘 나를 두렵게 한다. 나는 현상을 들여다볼수록 그것에 반응하는, 뿌리칠 수 없는 거대한 페르소나를 발견하곤 한다.

그러나 두렵다는 감정은 아직 내가 인간을 (정확히는 인간이 지닌 지독한 자아를) 초월할 수 없다는 방증이다. 나는 나를 한 번 더 탈각해야 한다. 전혀 다른 세계 속에 나를 밀어 넣고 내동댕이 칠 수 있어야 한다.

보는 것과 되는 것. 침묵하는 것과 표현하는 것. 아는 것과 행하는 것의 사이를 갈팡질팡할 때면 막막하다. 막연함과 불안에서 벗어나려는 인간의 관성은 너무나 강하다. 그리하여 결기를 다졌던 나는 종종 내면의 먼 여행을 나갔다가 다시금 소스라쳐 돌아 오곤 한다. 나는 종종 나의 도덕성을 자괴한다. 그 도덕성은 모든 양가의 감정들을 통솔하지 못한 것에 대한 죄책감이다. 예술은 이따금 나를 고통스럽게 파괴하고 만다. 무언가 발설했다는 이유만으로 오만한 의식은 다시금 죄를 얻는다.

결국 이 몸부림 속에서 같은 사유의 목적지에 도달한다. 문장과 글이 삶의 이유가 될 수는 없다. 무엇을 쓰는 것인가. 왜 쓰는 것인가. 묻는다면 나를 기만하지 않고 대답하고 싶다. 쓰는 이유는 욕망의 발현 때문이며, 나의 충족되지 않는 내적 결핍 때문이며, 무거운 인간의 업으로서 쓴다. 어떤 글도 맹신하지 않을 것이며 글쓰기는 내게 중도를 지키기 위한 가업이며 현실의 생존을 위한, 최소한의 생계수단이다. 이곳 내가 정립한 세계는 아무런 의미도 목적도 없어야 한다. 그것만이 의미이고 목적일 것이다. 나는 그것을 망각하지 않기 위해 기록한다. 그리하여 삶을 원죄하는 기분으로 여기 아무것도 아닌 것만을 남긴다.

무엇에도 종속되지 않은 채 현상을 바라본다. 손은 글을 쓰기까지 내 명령을 기다린다. 문장이 현존의 자리를 대신할 수 없다. 그것이 나를 능가하여 활보할 때, 펜을 멈추어야 할 것이다.

알 수 없는 것들의 기록

공중에 부유하는, 느리게 떠다니는 찰나의 사유들, 회로를 끝내 갖지 못한 망령의 행보들. 그것은 이따금 혼돈이라는 거대한 정체로 나를 압도하곤 한다.

나는, 나를 점령하는 이 감각을 정의하지 못할 때 무력해짐과 동시에 불안을 느끼곤 했다. 내가 모르는 것들이 나를 키운다는 생각이 들 때, 삶이란 내가 정의할 수 없는 그 무엇으로만 이루어진 것 같다는 생각이 들 때, 나는 백지 위에서 앓곤 했다. 언제부터 글을 써야겠다고 다짐했는지는 기억나지 않지만, 보이지 않는 많은 것들이 세계 위에서 활보할 때, 나는 그것들과 하나하나 대치하며 질문을 던지곤 했다.
생의 긴 시간 속에서 내가 해야 할 일은 이 낱장의 사유를 인내심 있게 연결하고 하나의 문장으로 각인하는 것. 활자를 통해 길을 내는 것 아닐까.

나는 여전히 모른다. 무엇을 살려는 건지, 무엇을 쓰고자 하는 건지. 아무것도 정의하지 못했으며, 여전히 모르는 그것이 삶이었다고 쓰기에 이르렀다.

이 언어는 알 수 없는 것, 말할 수 없는 것의 기록이다. 그 외에 문장을 통해 내가 도달해야 하는 목적과 기능은 없는 듯하다. 늘 정의 내리려 하는 모든 시도가 나를 실패로 몰아갔다. 그리하여 언제부터인가 아무것도 아닌 그 무엇을 써 내려가고 있다.

나는 여전히 어리석고, 시끄럽다. 문장은 나를 현혹하며 삶에 관여시킨다. 마지막 잎새가 가지를 붙잡고 있듯 그렇게 나는 오늘도 나부끼는 삶에 매달려 있다. 그런 방식으로 생을 흔들어 보는 것이다. 악력을 다해 붙잡고 오늘도 묻는다. 나는 어떻게 생존하는가, 무엇을 바라보며, 무엇을 연민하며, 무엇을, 어떻게 사랑했는가.

이렇듯 나는 아무도 궁금해하지 않는 그런 일을 주로 하고 있다. 글을 쓴다는 건 이토록 무모하면서 고독한 일이다.
무용하면서도 가장 섬세한 일이다.

가만한 혁명

생의 본류에 도달해 가는 일은 금언과도 같고, 투쟁과도 같다. 불가능할 줄 알면서도 모험을 하는 것. 내면과 외면의 최고치에 도달해보는 것. 세상은 너무나 거대하지만, 나는 그것을 다 살아보고자 하는 의지가 있고, 스스로 파멸되거나 혹은 타인에 파괴되지 않는 방식으로, 마음의 극대화를 시도하는 것이다.

왜 그렇게 사냐고 묻는다면 설명할 길은 없다. 나는 역린(逆鱗)의 성질이기 때문이다. 상류로 역행하는 물고기의 원력과 같은 것, 시류를 거슬러 본류로 향하는 생의 가장 원초적인 저항과 같은 것이다. 저 죽는지도 모른 채, 나무 기둥을 붙들고 한 철 울부짖는 매미의 긍지 같은 것, 수승(水昇)의 힘으로 피어오른 꽃 같은 것, 태양 빛을 따라 머리를 조아리며 날개를 펼치는 새의 행위 같은 것 말이다. 아무에게도 들키지 않을 법한, 가만한 혁명 같은 것이다.

입과 머리를 쓰는 것이 아닌, 몸과 삶을 쓰는 것들은 묵직하다. 묵직한 생은 밀도가 높다. 그러니까 자신의 하찮은 역린으로 집을 짓는다는 것만큼 아름다운 예술은 없다고 여전히 믿는다. 중력을 거슬러 땅을 박차고 나오는 모든 식물들처럼, 그런 침묵의 방식으로써 반항하는 것은 분명 힘이 세다.

(그런 방식으로 온 몸으로 오체투지 하는 문장은 강하다. 하나의 문장보다는 침묵이, 침묵보다는 묵묵함이, 터져버린 말보다는 세어나오는 눈물이 더 강하다. 세상 어떤 글보다 삶은 힘이 세다.)

그리하여 하나의 숙성된 침묵인 채로 묵묵히 하루하루를 살아가는 사람은 나에게 귀감이 되곤 한다. 존재 자체가 거대한 삶 자체인 사람이 있다. 그들은 나를 일깨우고 또 살아가게 한다.

삶을 위한 예술

종종, 나는 마음의 고도에 따라 줄곧 여러 층위의 지층을 오르내리며 표현하는데 다양한 의식의 차원에서 생동하는 문장을 마주하기도 한다. 내 안을 스쳐 간 내부 외부의 숱한 목소리 중에서 무엇이 살아남았는가를 보는 것이다.

대체로 살아남은 문장은 순수하고 투명하다. 작위적이지 않으며 자연발생적인 것에 가깝다. 말보다 태도로 자신을 표현하고 교화하는 저 꽃잎처럼 말이다.

삶은 분명 가치를 찾는 것이 아닌 가장 낮은 생의 바닥을 짚고 살아가는 것임은 분명해 보인다.

판단하는 것이 아니라 동화되는 것. 인간의 지적 욕구를 충족시키는 것이 아니라 침묵과 함께 교화하는 것. 그리하여 잘 쓴 것이 아니라 스미는 것이다. 모든 것 우위에 삶이 있기 때문이다.

(그리하여 이 책의 부제는 예술을 위한 삶이 아닌, 삶을 위한 예술이라 정했다. 또한 이 기록은 한 단어를 쓰기까지의 삶 속에서 어떤 사유를 캐내었는지 보여주는 나의 내밀한 작업 노트일 것이다. 비록 마음을 울리는 아름다운 문장은 실패하고 말았지만, 책장을 덮어도 여전히 이 삶은 유효하다는 말을 하고 싶다.)

나는 언젠가 그런 사람이고 싶다는 생각을 한다. 가득 찬 침묵과 윤활하는 눈빛 그리고 존재의 수려한 몸짓으로 이 백지 위를 홀로 걸어가는 사람. 목적도 의미도 없이, 주체도 객체도 없이 말이다.

그리하여 나는 그 무엇도 확고히 하지 않는 이 삶의 실체 없음을 단지 통과하려 한다. 우리는 삶이라는 불명확함 속에 존재와 부재, 실재와 허상 사이를 유영하는 단지 하나의 불확실한 무형의 몸들이다. 볼모를 잃은 방랑자들이다.

무엇을 쓰기 이전에

작가란 글을 쓰기 이전에 글의 원천을 탐미하는 일이고, 그것을 탐미하려는 자신을 먼저 바라보는 일이다. 그러기 위해 자신을 살아보는 일이고, 그러기 위해 삶의 한 가운데 걸어 들어가는 일이다. 그리고 삶의 일부가 되는 일이다. 그것은 수행과 고행을 동반하고 성찰과 반성을 항시 전제한다.

무엇을 쓰기 이전에 이 삶의 주인으로써 자신을 스스로 이끄는 구도자여야 한다는 것과, 종국엔 아무것도 쓸 것을 남기지 않는 자이어야 한다. 그리하여 스스로가 마음으로부터 해방된 자유인이어야 한다.

세상의 말과 손을 뿌리치며 모든 문장 밖으로 걸어 나올 수 있는 사람이어야 한다. 그러나 그런 자는 글을 쓸 이유를 상실할 것이다. 말 없는 세계의 주인이 되었기에.

나는 진정한 작가도 아니며 더불어 그러한 사람도, 성자도, 글도 접하지 못했다. 그런 사람은 발견되지 않는다. 발견되지 않는 하나의 문장은 고조되어 있으며 투명하고 성스럽다.

그들은 꽃을 닮았고, 나무를 닮았으며 어디선가 묵묵히 자신을 순응하며 존재하고 있다. 존재. 그러니까 존재로서 말이다.

그리하여 나는 심원함 속에 녹아들어 있으며 작가이기 이전에 그런 삶을 실천하며 사는 자이고 싶다. 그게 아니면 글이 아니라 자기 푸념이거나 오만과 방종의 기록이 될 수도 있다. 모든 예술이 자기모순이고 기만이 아니라고 증명하기 위해서는 그런 삶을 꾸준히 인내하고 이루어 내는 삶의 태도로 증명해야 한다.

나는 어떤 자세를 말하고 싶다. 자세를 낮춰 세상을 듣고 경건한 전도사 역할을 해낼 때야말로 문장은 숨을 얻는다. 문장을 뒷받침할만한 근거를 삶으로 증명할 때, 글은 힘을 받는다. 무엇을 쓰기 이전에 자세, 그러니까 어떤 태도를 말하고 싶다.

그런 사람

일련의 시도를 한 작가의 글을 마주할 때가 있다.

미지의 긴 행로를 두려워하지 않고 순례하는 사람. 거대한 존재의 의식 위로 등반하는 사람. 누구를 위한 것도 아닌 오로지 그 행위만을 위한 여정을 걷는 사람. 아무도 발견한 적 없는 개척지를 홀로 걸어가는 수행자처럼. 인간으로서 갈 수 있는 가장 극한의 내면에 가본 사람. 그 험준한 산, 인간의 한계점에서 최초의 깃발을 꽂는 사람.

그리하여 남들보다 더 깊은 지층을 가진 사람. 섬세한 층위를 미세한 침으로 뚫고, 누구보다도 더 면밀히 관찰하는 사람. 도무지 말할 수도, 알려지지도 않는 것이 눈앞에 놓이기까지 기다리고 기다리는 사람. 그러다 불현듯 번뜩이고 떨리는 눈빛이 되어버린 사람. 그리고 고차원의 삶을 획득한 사람.

그리고 다시금 화려한 세상의 중심으로 들어가 타인의 눈앞에 그것을 드러내기까지, 생의 밑바닥에서부터 모든 언어를 다 거슬러 오르는 사람.

나는 그런 사람들의 이야기에 전율한다. 내 삶과 그의 삶이 같은 곳을 바라보고 있을 때, 나는 더 이상 외롭지 않다. 인간으로서 살아내야 하는 삶을 기꺼이 투쟁한 사람이 있다는 것은 이미 내 앞에 쉬운 길을 내어준 것과 다름없다. 아무도 가 본 적 없는 세계의 끝. 그 끝에서 언어가 어떻게 작동하는지. 최후의 자아가 벼랑 끝으로 자신을 내몰고, 어떤 눈빛으로 공포와 불안을 바라보고 있는지. 아무도 시도할 수 없는 용기로 점철된 사람.

극지로 자신을 내몬 글을 사랑한다. 아무도 읽지 않아도 좋다. 말할 수 없는 것을 기꺼이 말할 용기를 가진 사람의 문장은 깊은 벼랑 끝에서 어떻게 기어올라 생존하는가. 어떻게 삶이라는 가장 높은 곳에 깃발을 꽂는가. 온몸으로 삶으로 보여주는 사람이 있다.

그러나 나는 어떠한가.
알려진 적 없는 글을 쓰고 싶었으나 그러지 못하고 있다.

바닥을 가늠할 수 없는 바닥을 찾아 걸었다. 도무지 끝을 알 수 없는 생이라는 심연에 뿌리를 내린다. 이제 나는 동력을 낮춘 채 서서히 수직 하강한다.

깊은 기저에 박혀 있는, 아무에게도 들키지 않는 뿌리에 대해서만큼은 절망하지 말자. 그것은 침묵으로서 스스로 존립하고 있다. 침묵은 자세로 말한다. 나는 이 보이지 않는 암흑에 대해서만큼은 결코 두렵지 않다.

바닥, 가장 낮은 바닥, 이 삶을 디딤돌 삼아 꿈꾸기 위해 가장 낮은 바닥에 머물자. 가장 낮은 곳에서 삶의 긍지를 외치자.

현실과 이상, 본질과 허구라는 세계의 두 눈을 번쩍 뜨자. 한쪽 눈으로 삶을 보고, 또 한쪽 눈으로 죽음을 읽자.

세상 모든 것들의 경계에서, 그 어디에도 속하지 않는 고독의 나신으로, 어디에도 속하지 않는 자유의 노래를 부르자.

아무도 모르는 기록

언젠가 내가 나의 잃어버린 자아로 하여금 결박된 어둠의 방에 앉아 슬픔에 빠질 때, 이 기록들이 오늘을 떠올리게 하기를.

저 편의 태양, 한 줌이 선사하는 바람 그리고 의지의 자연, 살아 있는 생명이 윤활하는 어느 선선한 계절과 거기서 신의 얼굴을 한 채 투명한 한 사람이 걷고 있었다는 것을 잊지 않기를.

아무것도 바라는 것이 없었으며 이대로 완전한 존재의 세계 속에 주인이었다는 것을. 나무 아래에 있는 새들이 나의 친구였으며, 아무도 이곳에서 외롭지 않았다는 것을. 한때는 영원히 살았었다는 것을. 나의 기록이 훗날, 아무도 모르게 구원을 외칠 때, 부디 누군가의 손길이 아닌, 지금의 내가 어려움에 처한 나를 일으켜 세우기를. 마치 한 세기 전에 살았던 사람의 유서를 고이 간직해온 것처럼. 미래의 내가 이날의 전언을 다시금 해독하기를. 서랍 속에 간직된 생의 역사가 다시금 심장을 뛰게 할 때, 존재의 나에게 약속하기를. 이토록 살아가겠노라고.

쓴다는 건. 고유의 경전이자 나를 기리는 유서이며 어떠한 목적도 지닐 수 없기에 나는 단지 적는다. 내일의 내가 결코 적지 못할 오늘을. 누군가는 나를 망상이라고 혹은 착각이라고 비웃을 수도 있겠지만, 이 느낌만이 유일한 실제임을. 내가 나에게는 가장 가까운 동반자였다고도 기록한다.

지난 기록 속의 나를 더 이상 알지 못한다. 나는 여전히 나를 모른 채 쓴다. 나는 모르는 나로 계속 변화할 뿐이다.
하나의 글자를 이어 미래로 유예할 뿐이다. 자주 나라는 사람을 잊으며 또 잊은 자리에서 유추해보며 현재에 대해 쓰고 있다.

그렇게 일련의 기록들은 나와 나를 연결해 준다.
그리고 어느 날 문득 발견한 활자들이 망각을 깨워줄 것이다. 아. 나는 살아가고 있구나.라고. 조금 더 나은 자아가 조금 더 절박한 자아를 살려내는 거라고. 그러기 위해 나는 아무도 듣지 않는 한 줄의 기록을 필사적으로 적는다.

통과하는 것

어떤 책은 읽는 것이 아니라 통과하는 것이다. 누군가의 사유에 공감한다는 것은 조금 더 많은 결속이 필요하다. 그러니까 누군가의 문장을 통과한다는 건 날카롭고 예리한 삶의 절벽을 같이 오르는 것만큼 내 생이 다 필요한 일이다. 그렇게 우리는 우리의 전부를 긁히고 재생하며 함께 걷는다. 누군가의 삶을 통째로 통과하기 까지는 너무 많은 시간이 걸린다. 한 단어 한 단어씩 곱씹다 보면 한 페이지를 넘기는 것이 쉽지 않았지만, 그의 삶에 내 삶을 대입해보며 섞여본다는 것은 기적과도 같다. 만남은 우발적이지만 결속은 결코 우연이 아닌 노력이다. 그렇게 함께 토하며, 대항하며, 혹은 분노하며, 서로의 삶을 통과한다. 때때로 넘어진 나를 일으키며 속도를 맞춰준다. 그런 문장이 있다.
누구에게나 친절하지 않지만, 단 한 명을 위해 기꺼이 손을 내밀어 주는 책. 그런 문장은 더 깊고 특별한 인연처럼 다가온다.

여전히 지면에는 감정을 쓰는 자들도 있을 것이고, 문장을 쓰는 자도 있을 것이고, 영혼을 쓰는 자도 있을 것이다. 한 문장에도 층위가 있어서 감정을 듣는 자들은 그것을 듣고자 하고, 문장을 읽는 자들은 그것을 보고자 하며, 영혼을 보는 자들은 그것을 느끼게 될 것이다.

서로가 가진 것들이 삶의 지면을 통해 그런 방식으로 공명할 것이다. 나는 누군가와 한 지점에서 영혼의 대화를 나누고 싶다는 불가능한 꿈을 꾼다.

그러니까 이 책장의 끝은 어디일까.
마지막 장엔 어떤 풍경이 놓여있을까.
나는 그런 것이 궁금하다.

바쁘게 지나가는 가을처럼,
내 마음도 부지런히 그것을 독해하는 것이다.

매 순간이 마지막인 것처럼, 모든 계절을 다 앓고 나면,
훗날 나는 스스로 잘 살았다, 말할 수 있을까.

다만, 후회 없는 꽃을, 나무를 닮고 싶은데.
당신에게 같이 늙어가자고, 말하고 싶다.

『모든 계절이 유서였다』 중에서

풍경을 번역하자 동시에 유한한 인간의 삶의 족적과 정신적 비행을 쉬지 않고 기록하는 일. 이 태어남이라는 질병으로부터 모든 생애를 치유하겠다는 다짐으로. 글을 쓴다.

모든 시대를 기록하는 일. 그리고 내가 살았으며 써 왔던 것들로부터 안녕하는 일. 비워내는 일.
삶에서 그것 말고 해야 할 것은 거의 없는 것 같다.

글을 마치며

기원. 기원을 봐요. 거기엔 법도 규칙도 없어요. 형식도 관념도. 이론이나 지식, 예술도 장르도 없어요. 아니 글도 언어도 없지요. 이제 막 번뜩이는 것. 명멸하는 것. 그러나 들키지 않는 그것. 그것에 가까운 것을 써요.

내면에 뼛속 깊이 내재되어 있는 것이 무엇일까요.
여기, 끓는 무엇, 뛰고 있는 무엇.
그 무엇을 찾아야 해요 우리는.

이제 저는 침묵할게요. 계속 조잘거리는 참지 못하는 이 말의 난무함은 언어가 아니니 다시 언어의 이전으로 되돌아가야 하겠죠. 저는 제 안에서 얼마나 더 참아야 할까요. 다시 올게요. 더 붙들어 봐야죠. 소리가 울림이 될 때까지, 울림이 버티다 떨어져 울음이 될 때까지.

그냥. 그걸로 다 이해가 되어버리는 것처럼.

저는 아무것도 쉽게 말하지 않아요.
마지막으로 그런 말을 하고 싶어요.

쓸 수 없는 문장들

지은이 © 안 리타
메일 an-rita@naver.com
펴낸곳 홀로씨의 테이블

1판 1쇄 발행 2021 년 08월 19일
1판 2쇄 발행 2021 년 10월 13일
1판 3쇄 발행 2022 년 05월 10일
1판 4쇄 발행 2023 년 01월 10일

ISBN 979-11-961829-9-1